〔新版〕日本人の歴史哲学

なぜ彼らは立ち上がったのか

Iwata Atsushi

岩田温

産経セレクト

S-035

［新版］はじめに

死線を彷徨(さまよ)うという言葉がある。

昨年（令和五年）大病し、奇跡的に復活を遂げた。一カ月以上、意識も記憶も何もないまま集中治療室にいた。少しずつ意識を取り戻せたのは、妻のおかげである。毎日病院に訪ねてきてくれた。新型コロナウィルスの感染拡大の影響を受けて十五分の面会しか認められなかった。私が倒れてから病院へ通い、一生懸命声を掛け続けたとのことだった。

意識が戻ってから数日後、最後の手術があった。この手術で失敗すれば、いついかなる時に死ぬかもわからない状態で生きることになると言われた。まさに最後の手術だった。ひと月以上寝たきりになると、人間は歩けないどころか椅子に座ることすら苦痛になる。手術の前日、私は看護師の助けを得ながら、なんとか椅子に座ることが出来た。文字すら正確に書けない状況の中で、何としても遺書だけは書こうと思った。

葬儀は家族だけで行ってほしい。お世話になった方々には、明るいお別れの会を開いてほしいと書いた。私の不摂生が原因だから、葬儀とお別れの会が終わったのち、妻には再婚してほしいと書き記した。ここまで書いたのちに思い出したのは、お世話になった方々へお礼の品を差し上げたいということだった。

私は政治学者であり、物書きである。何か一冊を皆様にお渡ししたいと考えた。幾度も考えた結果、処女作である『日本人の歴史哲学』を復刻し、皆様にお送りしてほしいと遺書に書き記した。少部数でも構わないが、お世話になった方々にこの一冊だけでも読んでほしいと思ったのが本書である。

読み返してみると、若気の至りとしか評せない稚拙な表現も目に付く。だが、最も愛着のある一冊なのだ。

大学時代、私は決して優等生ではなかった。講義を聞くことが馬鹿らしいと思っていた。可愛くない学生だ。ただ、講義は受けなかったが勉強しなかったわけではない。文字通り、死ぬ気になって読書に取り組んでいた。分野は多岐に渡る。国際政治、比較政治学、政治哲学、文学。経済にはあまり興味を持てず、政治に関するあらゆる分野の本を読み漁った。

結論は次の通りだった。現代の日本の政治学に欠落しているのは、本格的な政治哲学、すなわち歴史哲学であるということだ。我々は国民国家を自明のものと捉えており、国民国家を軽視する傾向が強い。グローバリズムとは、まさにそのような潮流であろう。しかしながら、国民国家こそが国際政治における基本単位であり、国家なき流浪の民は基本的人権すら擁護されない。

国家を国家たらしめているのは何か。

それは我々の国民の歴史である。ある哲学者は、人間は二度生まれると言った。この言葉はその哲学者の意図を超えた重要な意味を持つ。人間は人間として生まれる。それが一度目の生誕ということだ。しかし、人間は国民になる瞬間が訪れる。それは祖国の歴史を我がこととして捉える覚悟を抱いた瞬間である。

今読み返してみて恥ずかしい点も多いが、基本的な思想信条に誤りはなかったと言い切れる。

この度、私が小学校時代から愛読してやまない産経新聞の出版社から、処女作が復刊されたことを本当に嬉しく思う。今考えてみると生意気な学生だった。そんな私に推薦の辞を寄せてくださった先生がいた。哲学者の長谷川三千子先生だ。過分なお言葉を賜り恐縮した次第である。本書執筆が為せたのは、長谷川先生の学恩によるものです。心の底から感謝申し上げます。

推薦の辞

埼玉大学教授　長谷川三千子

ただそのまゝ虚空のうちに呑まれ、消え去つたとばかり思つてゐた、自らの語つた言葉、書いた言葉が、思ひもかけず、若々しい声の響きをもつて、こだまとなつて返つてくる――これほど幸せな体験が、またとあらうか。

岩田温氏の著『日本人の歴史哲学』の原稿を送つてもらつたとき、私がまづ感じたのは、さうした素直なよろこびであつた。

しかも、それは決して単なる「こだま」でも「鸚鵡(おうむ)がへし」でもない。かつて私のものであつたそれらの言葉は、その本意を保ちながら、いまや完全に著者自身のものとなつて、その構想のうちにぴたりと位置づけられ、使ひこなされてゐる。それが何よりも嬉しいのである。

この書の構想は、途方もなく大きなものである。もしこれが、どこかの大学の後期博士課程の学生の博士論文として企画されでもしてゐたら、担当の指導教官は大あわてで、もつと主題を小さく縮小するやうに、と忠告したことであらう。そして、それと同時に書き手の精神も萎縮させられてゐたところだつたであらう。この書が、アカデミズムの小さな柵のうちに囲はれることなく、同世代の若者たちとの間の生き生きとした議論に育まれて生まれ出てきたことを、心から祝福したいと思ふ。

もちろん、各々の分野の専門家が見れば、各章の各節がそれぞれ一冊づつの著書をなすべき大主題であつて、それをこんな風にずばり、ずばりと大づかみにしてゆくのは、荒つぽさのきはみである、と言ひたくもならう。しかし、よく見ると、岩田氏の「大づかみ」は、決して空疎な「大づかみ」ではない。むしろ、その一つ一つの考察は緻密と言つてよいほどであつて、氏の筆は、それぞれの相手――へーゲルやホッブズや福沢諭吉ら――の核心部分に急降下し、鋭い嘴でその髄をつかみ出すのである。

さういふことが可能となつたのも、おそらくは、著者のうちに「精神」といふ言葉が、生きた意味をもつて響きつづけてゐるからであらう。「精神」とは、実体でもなければ、なんらの教条（ドグマ）でもない。「精神」とは、肉体を有するこの小さな一個の自己が、自国の歴史の或る一瞬に自己を燃焼するとき、そこに閃めく一条の光である。そして著者は、いかなる高名な哲学者や歴史家や歴史上の偉人に対しても、怖めず臆せず、無言のうちにかういふ問ひを突きつけてゐるのである——お前は、本当に「精神」を見ようとしてゐるのか？　お前は本当に「精神」をもつて生きたのか？

こんな風に突きつけられてみると、皮肉なことに、「精神（ガイスト）」をうたひ文句にかかげ、「精神（ガイスト）」の自己展開が歴史なのだと主張するヘーゲルの歴史哲学が、まさにまるで「精神」と無縁なものであることをさらけ出してしまふ。そしてまた、単なる「狂信」に支へられたテロと、大東亜戦争末期に特攻に志願して散つていつた人々との差がどこにあるのかといふことも、このやうな問ひをつきつけることによつて、自づと明らかになるのである。

しかしまた、心のうちに「精神」といふ言葉を大事にかくし持つてゐる者はみな、現代の日本、のみならず現代の世界といふものに対して、或る絶望的な思ひを抱かざるを得ない。この著者のはじめにも、著者は昭和四十五年に書かれた三島由紀夫の言葉——「このまま行つたら（略）日本はなくなつて、その代りに、無機的な、からつぽな、ニュートラルな、中間色の、富裕な、抜目がない、或る経済的大国が極東の一角に残るのであらう」――を引き、この予言どほりにことがすすんでゐることを憂へてゐる。けれども、少なくともこの著書を読んだ人々は、三島氏とは違つて、「私はこれからの日本に大して希望をつなぐことができない」とは言はずにすむであらう。ここには、すべてが無機的でからつぽになつてしまつた、そのコンクリートをうち破つて顔を出す、「精神」の芽吹きを見て取ることができるのである。

追記

ほぼ二十年ぶりに岩田温氏の『日本人の歴史哲学』を再読して、この「推薦の辞」が大袈裟でもなんでもない、ただそのままの素直な感想であったことを思い出した。おそらく岩田氏自身は、自らの「若書き」を気恥ずかしくも感じておられるであろう。しかし、二十一歳の岩田温氏は、今もなお、現在の氏自身の最大にして最良のライバルである。この先も、人々の精神を揺さぶる作品を次々と生み出していっていただきたいと願っています！

はじめに

「後に続くを信ず」。

大東亜戦争末期、特攻隊の間で最もよく交わされていた言葉である。この言葉を以って特攻隊員が敵に突撃し続ける日本人が陸続と現れることを願ったとするのは、いささか浅薄に過ぎよう。彼らが遺した多くの遺書から読みとれるのは、自らの犠牲の上に立派な日本を作り上げてくれという祈りにも似た声である。

果たして現在の日本は、彼らの想いに応えているであろうか。靖国に鎮まる英霊は、現在の日本を見て納得するであろうか。この問いへの答えは明らかであろう。戦後六十年を経た現在、驚異の経済的成長を遂げたその裏で、徐々に彼らが命をかけて守り抜いた日本が溶解しつつある。かつては独立自尊のため立ち上がることのできた日本が、祖国のために命をおとした先人を祀ることすらままならなくなっている。

原因は様々と挙げられている。日本国憲法の呪縛、東京裁判史観、日教組を中心とするマルキストたちの跳梁跋扈。これらはいずれも重大な問題であり、克服されねばならぬものといえよう。では、私自身は何を為すことができるのであろうか。果たして我々には何を為すことができるのであろうか。

激動する時代の中にあって我々に求められていることとは、特攻隊で出撃した、我々と同じ学徒の想いを継いでいくことではなかろうか。その想いを受け継ぐ契機として、平成十六年十月十日靖国神社において出陣学徒慰霊祭を催行させていただいた。記念講演の講師を長谷川三千子先生にお願いし、演題も、実に「精神を継ぐといふこと」で、まさに我々の願いそのものを題にしてお話を頂いた。

慰霊祭を無事終えた後に、直会の場に移った。そこで我々に向かって長谷川先生は「慰霊祭を行うということは、非常に素晴らしいことです。しかし、それのみにとどまっていては、単にお弔い団体となってしまいます。若いエネルギーを十分に使い切って欲しい」と述べられた。私はこの瞬間に、若くして散華された彼らの精神、日本人の歴史哲学とは何かを徹底的に勉強せねばならぬと覚悟した。

毎週のごとく行う勉強会のテーマを歴史哲学に絞り、仲間と侃々諤々（かんかんがくがく）の議論を行ってきた。その成果こそが本書である。

まず序章においては、我々が問うべき時代としての「戦後」を考察した。

第一章においては、過去の西洋における歴史哲学者のうちから、E・H・カー、ヘーゲル、ベルジャーエフの三人を取り上げ、彼らの歴史哲学をわたくしなりに概観し、その問題点を指摘した。そして最後に坂本多加雄の歴史哲学、国家の来歴としての歴史に着目した。

第二章では、国家の来歴を議論する前提となる国家についての考察を行った。生命を守る機関としての国家観の陥穽を指摘し、帰属意識の担い手としての垂直的国家観とそれを担う歴史哲学を提示した。なお、議論においては、近年流行するポスト・モダン的思考を批判の俎上に上げた。

第三章では、具体的に西郷隆盛を取り上げ、彼の中に見える歴史哲学を考察した。その際、わたくしなりの「近代」観を提示し、西郷についても彼の「文明観」を頼りながら「近代」との格闘といういささか哲学的視点から考察を行った。

第四章では、大東亜戦争時の特攻隊の歴史哲学を考察した。特攻は狂気とする論、哀れな犠牲者であったとの議論を排し、遺書・遺詠から読みとることのできる歴史哲学を、具体的な例を挙げながら考察した。

終章は、一連の議論の結論となる章として執筆した。

第一章における歴史哲学者たちの概論は、いささか難解であるかもしれない。本書の些細なとは言えぬが、主たる論点とは呼べぬ章である。大いに読み飛ばしていただきたく思う。

第三章では、当時の原文のみならず、読者諸兄の便宜を考え現代語訳を付した。先をお急ぎの方は、訳文をお読みいただきたい。

また、端的に本書をまとめたともいえる終章を初めに一読され、本書そのものの概要を掴み、興味の赴く章を読まれても結構である。

本書が、日本を想う同憂の志の目にとまり、ともに日本を考える一助となれば、望外の幸せである。

日本人の歴史哲学◎目次

［新版］はじめに　3
推薦の辞――埼玉大学教授　長谷川三千子　6
はじめに　10
序　章　戦後という時代　17
一　戦後――大いなる虚無　18
二　取り戻されるべき歴史とは何か　21
第1章　取り戻すべき歴史哲学　29
一　E・H・カー　科学的歴史哲学の陥穽　31
二　ヘーゲル　進歩的歴史哲学の陥穽　40
三　ベルジャーエフ　神学的歴史哲学の限界　55
四　坂本多加雄　国民国家「来歴」の可能性　66

第2章　民族共同体としての国家　71

一　国家とは必要か　72
二　帰属の対象としての国家　77
三　国家ナショナリズムとポストモダン思想　88
四　垂直的国家観としての国家　93
五　垂直的国家観の表徴——靖国神社　96

第3章　西郷隆盛と日本の近代　105

一　何かの崩壊としての近代　106
二　政治思想における近代　115
三　有徳の文明——横井小楠、西郷隆盛　124
四　無徳の文明——福沢諭吉　136
五　文明の大逆転と「からごころ」　142
六　征韓論と西郷隆盛　154
七　そして西南戦争へ　164
八　西郷隆盛と日本人の歴史哲学　174

第4章　特攻隊と大東亜戦争　183
一　似て非なるもの――特攻と自爆テロ　184
二　特攻隊員は犠牲者か　194
三　立ち上がれる民族の誇り――大東亜戦争　209
四　「回天」に見る特攻隊の真髄　216
五　特攻隊と日本人の歴史哲学　227
終　章　民族の記憶――日本人の歴史哲学　235
［新版］あとがき　248
参考文献　252

装　丁　神長文夫＋柏田幸子
ＤＴＰ　中尾香（ユリデザイン）

序章　戦後という時代

一　戦後——大いなる虚無

およそ人間は、自らの生を分割して考えることが出来る唯一の存在である。ここでの分割とは、もちろん、連綿として続く生を断ち切るなどということではない。記憶を基にして自らの過ごした時間を顧みて、それを概念として区別するのである。多くの場合、それは自らの置かれた社会的な状態によって区別がなされる。例えば、「高校時代」「大学時代」などがそれにあたる。もしくは更に詳しく分けて、「受験期」などとすることもできよう。

何故人間は時間を分割するのか。時間の分割は、ほとんど無意識的に行われる。人間は本能的に時間を分割している。これは人間が全てのものごとに対して価値を求める本能を持っていることと関係するのかもしれない。あるいは、それを人間の宿命と捉えることも可能であろう。そうして人間は自らの生に価値を求め、時間を分割していくのであろう。

同様にして、人間は自らの所属する国家もしくは民族の歴史も分割して捉える。それは自ら生きる時代を知る試みでもあり、国家ないしは民族の価値を模索するためでもあろう。

現在とは一体いかなる時代なのであろうか。

「平成」「二一世紀」などの分け方もある。しかし、この区分はあまりにも時間のみに拘泥されており、我々の生との関連は薄い区分である。ある意味で非常に無機的な時代区分であるともいえる。あるいは我々の生活に則して、「グローバリゼーションの時代」と捉えることも可能である。確かに、経済的に見て一国のみでの存在というものは想像できない。また、今世紀の初頭に起きたアメリカにおける同時多発テロは、アメリカ主導による「グローバリズム」への挑戦と捉える向きもあった。このテロはアメリカ主導の「グローバリゼーション」の批判はもたらしたものの、それが「グローバリゼーション」自体の批判となるのは稀であった。つまり、各々の文化を尊重しつつも、世界のグローバル化を進めるべきだ、もしくはグローバル化はやむをえない、といった意見が大多数を占めた。「グローバリゼーション」の改良を求める意見が多かったわけである。この意味で「グローバリズム」の時代ともいえる。

だが、私が注目したいのは、更に我々日本人の身近にある時代観なのである。それは、現代の日本人が生きている「戦後」という時代である。

「もはや戦後ではない」との言葉で知られる経済白書が出版されたのは、昭和三十一年のことである。意外なように思われるかもしれないが、これは、敗戦からおよそ十年、GHQの占領から逃れて三年しか経ていない時期の言葉なのである。

だが、ここで問いたいのは、本当に戦後は終わったといえるのであろうか、そもそも戦後はいかなる時にその終焉を迎えるのであろうか、ということである。

ここでまず考えてみたいのが、先の経済白書の言葉は、何を以って戦後の終焉を見たのかということである。実はこれは単に経済状況が戦前と同程度になったことのみを以って戦後の終焉を見ている。このような経済状況のみを以って国家の状況を見るという姿勢こそが最も戦後的な姿勢だとは言えまいか。

戦後とはいかなる時代なのか。それは、日本人の根本に国家への不信から来る国家観喪失の時代である。そして、大東亜戦争の敗戦により、戦前の日本の求めた独立自尊を厭う感情が高まり、国民の下意識に他力本願が存在する時代である。

もちろん戦前の日本国民の精神性が全てにおいて優れていたなどというわけではない。だが、戦前の日本人には、国家の存在意義が理解されていたことは事実なのである。

国家とは何か。端的にその存在意義を述べれば、国民の財産、人命、領土の保全を行うもの、ということができる。さらには、国民の精神的、物質的な繁栄を求める組織でもある。これはあくまで水平的な同時代のみの国家観にしか過ぎない。国家は水平的であるばかりでなく垂直的共同体でもある。即ち、過去・現在・未来においてそこに住む人々の共同体でもあるのである。

国家として為さねばならぬことを忘れてきた、否、敢えて行おうとしなかった戦後日本では、国家が垂直的共同体であることが忘れられてきた。そのために日本国民は極めて個人主義的傾向を持つようになった。自らの帰属意識を明らかにできぬため、経済的繁栄の裏で、国内には徐々に虚無主義が蔓延していったかのごとく思われる。その結果、カルト宗教に帰属意識を求めたり、インターネットのバーチャルな世界の中に帰属意識を求めたりする若者が急増し、フリーターですらない「ニート」の概念が提出されるに至った。

これらは「戦後」という時代特有の病ではなかろうか。物質的に富める一方で精神が病む。豊満の影に貧弱な精神が存在する。

二　取り戻されるべき歴史とは何か

かかる事態を予見していたのであろう三島由紀夫の言葉がある。

私はこれからの日本に大して希望をつなぐことができない。このまま行ったら（略）日本はなくなって、その代りに、無機的な、からっぽな、ニュートラルな、中間色の、富裕な、抜目がない、或る経済的大国が極東の一角に残るのであろう。

（三島由紀夫『蘭陵王』）

これは日本滅亡への予言である。リズムのよい文体が、この予言どおりにことが進んでいることを不気味なほど感じさせる。

確かに日本人の道徳的頽廃、倫理性の喪失が叫ばれて久しい。かつては武士道の国と世界にその高い道徳性を讃えられた日本が、三島の予言どおりに今や刹那的な快楽を貪るだけの卑しき経済大国へと成り果てた。少女売春を「援助交際」と誤魔化し、欲望に狂奔する様はかつての日本を知る知日派を大いに落胆させている。

このような喪失が起こった根本的な理由は、やはり「戦後」自体にある。就中（なかんずく）、歴史を忘れ、国家を忘れた精神にこそ目を向けねばなるまい。

多くの日本国民は日本の歴史を侵略の歴史であるとして、汚泥にまみれたものとみなしている。その結果日本人であることに誇りを持ち合わせていないどころか、日本人であることを恥じている。かつてイギリスの保守思想家エドマンド・バークが「祖先を捨てて些かも顧みない人々は、子孫に思いを致すこともしないものです」(『フランス革命の省察』)と指摘したが、刹那的快楽主義に溺れる我が国の現状は残念ながらバークの予見を裏打ちするものと成り果てている。

戦後の克服のためには、まさに歴史の復権こそが急務といえよう。

だが、ここで立ち止まって考えてみたい。確かに歴史の復権の重要性は多くの心ある識者より指摘されていた。しかし、この取り戻すべき歴史とは一体どのようなものなのであろうか。

まず私たちが「歴史」と聞いて最初に思い起こされるのは、小学校、中学校、あるいは高校で一貫して教えられてきた社会科の一分野としての「歴史」である。教科書では、古代、中世、近代と時系列的に扱い、教師は過去の事実を教える。ここで無意識のうちに考えられている歴史観とは「事実の集積が、すなわち歴史である」という歴史観である。

だが、果たしてこの歴史観だけが「歴史」を形成するのであろうか。

確かに近代ドイツの歴史学の泰斗であるランケは、歴史家の仕事を「ただ、本当の事実を示すだけである」と厳かに定義してはいる。しかしながら、本当に単なる事実を集積すれば歴史が成立するのであろうか。

ここで二つの反論が挙げられよう。第一に挙げられるのは、歴史として認められる歴史的な事実もあれば、およそ歴史とは認められない事実もあるのではないかという反論である。

例えば、筆者が現在この文章を書いていることも事実である。あるいは昼食に蕎麦を食べたのもまぎれもない事実といえよう。しかしながら、この事実が祖国の歴史を振り返る際に、大東亜戦争において特攻隊が散華された事実と同等の歴史的な事実であろうはずもない。ここではまぎれもなく祖国の歴史という観点からの事実の取捨選択が行われていることが明らかであろう。

そして、もうひとつの反論は、事実を集積したところで人間は過去を忠実に再現できるはずはないというものである。これも考えてみれば当然の指摘である。人間の記録、記憶には限界があり、若干の推論なしに歴史を語ることは不可能である。

以上の反論を踏まえてみれば、歴史とは事実を羅列したものであるとする歴史解釈には限界があることは明らかであろう。事実を何らかの基準において取捨選択し、再構築してはじめて「歴史」が誕生するのである。
「歴史」が何らかの価値観によって取捨選択され、創出されるものであるとすれば、この価値観を歴史哲学であるといえよう。そして我が国が本当に取り戻すべきは、この歴史哲学であったのではなかろうか。歴史を叙述する際の根幹とでも言うべき日本人の歴史哲学が語られることのないままに、戦後六十年の歳月が過ぎ去っていったのではないか。

現在の日本で多くの国民に受け入れられている歴史哲学とは、東京裁判史観に他ならない。東京裁判史観とは、東京裁判で構築された論理全てを肯定する史観ではない。なぜなら、東京裁判で認められた数年来に及ぶ日本首脳による共同謀議などは、あまりに荒唐無稽な絵空事にすぎず、大東亜戦争を侵略戦争であると断定してやまない勢力にすら誤りと見られているからである。

だが、筆者は敢えて東京裁判史観なる歴史哲学が存在していると考えたい。

東京裁判とは戦争の当事国同士の裁判であり、まさしく勝者による敗者への復讐のための裁判であった。「勝者の裁き」との形容がふさわしい裁判であったといえよう。そして、その根本には限りない日本への憎悪が存在していた。この限りない日本への憎悪を根本に置くという姿勢を継承し、全ての歴史的事実（それが南京大虐殺などの明らかな捏造であってすら！）を歴史として叙述しようとする歴史哲学こそが、東京裁判史観であるといえよう。

東京裁判史観はアメリカが陰に日向に日本に植えつけんと画策したものであったが、これを積極的に援用し、日本の弱体化を目論んでいるのが戦後の左翼である。東京裁判史観は自己増殖し続け、現在に至っている。

チェコ人の亡命作家、ミラン・クンデラの『笑いと忘却の書』には、のちに共産主義政権に逮捕され、長きにわたり牢獄での生活を余儀なくされたチェコ人の歴史家、ミラン・ヒューブルの嘆息が記されている。

民衆を厄介払いするために（略）まず民衆から記憶が取り上げられる。民衆の書物、文化、歴史などが破壊される。そしてだれか別の者が彼らのために別の本を書き、別の文化を与え、別の歴史を考え出してやる。やがて、民衆が現在の自分、過去の自分をゆっくり忘れ始める。

（ミラン・クンデラ『笑いと忘却の書』）

「二度と日本をアメリカの脅威としない」(SWNCC―一五〇文書)ことを対日占領戦略の基本としていたアメリカは歴史の忘却こそが民族の衰退に繋がることを熟知していたが故に、日本の歴史破壊を企んだのは明白であろう。

日本を弱体化させるためのプロパガンダに過ぎぬ東京裁判史観は正統な日本人の歴史哲学足りえない。いま求められているのは、東京裁判史観に替わる日本人の歴史哲学を構築することにあるといえよう。

日本人の歴史哲学の復権こそが、「戦後」の克服のために為されねばならぬのではなかろうか。

第1章　取り戻すべき歴史哲学

日本人の歴史哲学を考察するにあたって、まずは歴史哲学の検討から始めたい。西洋において綺羅星のごとく輝く幾多の歴史哲学者のうちから、ここでE・H・カー、ヘーゲル、ベルジャーエフを挙げ、そしてそれぞれの概説を述べ、問題点を提示してみたい。各々の歴史哲学は極めて独創的であるが、いずれも何らかの欠点を抱えているように思われるのである。

そして、次に坂本多加雄の歴史哲学を概観し、国家と歴史との関係を考察したい。国家と歴史との関係を説くにあたっては、現在における国家の存在意義の証明が為されねばならない。国家をめぐる考察は次章において詳細に検討する。

ここでは、歴史とは科学の中の一分野であるとし、社会科学として歴史を捉えたE・H・カー、社会科学をはるかに超えて精神と自由の進歩という独特の観点から歴史を捉えたヘーゲル、進歩史観を厳しく批判し、キリスト者の立場から独創的な歴史哲学を提出したベルジャーエフを挙げたい。

では、歴史哲学とは何か。第一章では歴史哲学を探求した先人の業績を振り返りながら、考察を進めていきたい。

一　E・H・カー　科学的歴史哲学の陥穽

まずE・H・カーの歴史哲学を取り上げたい。

E・H・カーはイギリスの外交官であり、国際政治学者である。そのE・H・カーがケンブリッジ大学において行った講演録が『歴史とは何か』である。過去の歴史哲学者の論考を考察しながら進むこの講演は、E・H・カーの歴史哲学を率直に表しているといえよう。

E・H・カーの指摘は明快である。われわれが先に見たような歴史を事実の集積と考える歴史観を否定し、歴史家が事実の選択を迫られることを指摘する。

> 歴史家は必然的に選択的なものであります。歴史家の解釈から独立に客観的に存在する歴史的事実という堅い芯を信じるのは、前後顛倒の誤謬でありますが、しかし、この誤謬はなかなか除き去ることが出来ないものです。(略)歴史的事実という地位は解釈の問題に依存することになるでしょう。この解釈という要素は歴史上のすべての事実の中に含まれているのです。
>
> (E・H・カー『歴史とは何か』)

ここでE・H・カーは歴史的事実というものが、歴史家の解釈に大きく依拠していることを指摘している。

しかし、それでは歴史とは現在の歴史家の都合から一方的に編み出していってしまってよいのかという疑問が生じる。これに対しては「歴史とは歴史家と事実との間の相互作用の不断の過程であり、現在と過去との間の尽きることを知らぬ対話なのでありますす」とし、一方的に現在の都合に合わせる歴史を批判している。

では、過去と現在の間において如何なる対話がなされるべきなのであろうか。E・H・カーは「社会と個人とは不可分のもの」として社会全体に着目する。さらにE・H・カーは個人を社会の一要素にしか過ぎぬとして以下のごとく述べる。

歴史家とその事実との間の相互作用という相互的過程——これは前に現在と過去との対話と呼んだものですが——は抽象的な孤立した個人と個人との間の対話ではなく、今日の社会と昨日の社会との間の対話なのです。(略)過去は、現在の光に照らして初めて私たちに理解出来るものでありますし、過去の光に照らして初めて私たちは現在をよく理解することが出来るものであります。人間に過去の社会を理解させ、現在の社会に対する人間の支配力を増大させるのは、こうした歴史の二重機能にほかなりません。

（E・H・カー　前掲書）

すなわち過去と現在の個人間ではなく社会間においての対話を求め、「人間に過去の社会を理解させ、現在の社会に対する人間の支配力を増大させる」ことを目的とするのがE・H・カーの歴史哲学である。この歴史哲学は「知は力なり」といってのけたベーコン的な経験論に基づく近代科学の様相を帯びてくる。すなわち科学の一分野としての歴史との見解が表れてくるのである。

事実E・H・カーは述べている。

今日では、科学者にしても、歴史家にしても、一つの断片的な仮説からもう一つの断片的な仮説へと次第に進んで行こう、自分の解釈によって自分の事実を取り出して行こう、自分の解釈を自分の事実でテストしよう、という遙かに謙虚な希望しか持っておりません。科学者の研究法も歴史家の研究法も私には根本的に違うとは見えないのです。

（E・H・カー　前掲書）

科学者にせよ、歴史家にせよまずは仮説を提出する。そしてその仮説の証明のために事実を集積していくのである。E・H・カーによれば歴史家と科学者の研究方法は根本的に同じであるということになる。人間の現在に対する支配力を増大させるような命題のために、仮説を提出し、それを実証していくことが歴史家の仕事であるならば、歴史とは社会科学の一分野ということになる。この社会科学としての歴史という見方こそがE・H・カーの歴史哲学の真骨頂であるといえよう。歴史を社会科学と捉えるがゆえにE・H・カーはある事象を特定の目的に基づいて原因と結果を追求し、そこに客観的な因果関係を発見することこそが歴史家の任務であると次のように説くのである。

歴史家の世界は、現実の世界を写真にとったものではなく、むしろ、有効性の差こそあれ、歴史家をして現実の世界を理解させ征服させる作業上のモデルなのでありま す。歴史家は過去の経験から、それも、彼の手の届く限りの過去の経験から、合理的な説明や解釈の手に負えると認めた部分を取り出し、そこから行為の指針として役立つような結論を導き出すのです。

（E・H・カー　前掲書）

すなわち、歴史とは事実でなく、社会科学上のモデルの一つである。社会科学者においては、非合理とみなされる事実は捨象されるのである。個人が国家のために生命を捧げることは狂気と見なすのであろう。そして、自身が合理的な説明をほどこすことが可能なモデルを社会システム改善のための指針とすべく結論するのである。

例えば、E・H・カーは自動車事故の例を挙げている。

ジョーンズがあるパーティでいつもの分量を越えてアルコールを飲んでの帰途、ブレーキがいかれかかった自動車に乗り、見透しが全く利かぬブラインド・コーナーで、その角の店で煙草を買おうとして道路を横断していたロビンソンを轢き倒して殺してしまいました。混乱が片づいてから、私たちは——例えば、警察署——に集まって、この事件の原因の調査をすることになりました。これは運転手が半ば酩酊状態にあったせいでしょうか――この場合は、刑事事件になるでしょう。それとも、いかれたブレーキのせいでしょうか――この場合は、つい一週間前にオーバーホールした修理屋に何か言うべきでしょう。それとも、ブラインド・コーナーのせいでしょうか――この場合は、道路局の注意を喚起すべきでしょう。われわれがこの実際問題を議論している部屋へ二人の世に知られた紳士――お名前は申し上げますまい――が飛び込んできて、ロビンソンが煙草を切らさなかったら、彼は道路を横断しなかったであろうし、殺されなかったであろう、したがって、ロビンソンの煙草への欲求が彼の死の原因である、この原因を忘れた調査はすべて時間の浪費であり、そこから導き出された結論はすべて無意味であり無益である、と滔々（とうとう）たる雄弁をもってわれわれに向って話し始めました。それなら、われわれはどうすればよいのでしょうか。われわれは流れるような雄弁を辛うじて遮って、この二人の訪問者を鄭重に、しかし、力をこめて扉口へ押して行き、この人たちを二度と入れてはいけない、と門衛に命じて、われわれの調査を続けるでしょう。

（E・H・カー　前掲書）

この場合、重要なことは、社会における交通事故を減らそうという自明の目的の実現である。従って飲酒・自動車の故障といったこの事故の原因を追求し、事故の因果関係を考察し、それを具体的に社会において応用が可能な形で一般化していくことこそが科学者たる歴史家に求められる態度であるとするのである。偶然の出来事は捨象して、事件を一般化し、抽象化、公式化して現実に反映させていく姿勢を彼は歴史家にも求めるのである。

確かに、この科学者の態度は我々の生活に大きな貢献を為したことは否めない。このような科学的歴史観も重要ではある。

だが、ここで我々が真に問わなければならないのは、果たして歴史は完全な科学なのか、という問題である。あるいは科学としての歴史以外の歴史哲学は成立し得ないのかという問題である、といってもよかろう。

現代に生きる我々は日常生活において、さまざまな局面で科学の恩恵に浴して生きている。客観的なデータに基づく科学なしには近代文明は機能しない。それゆえ、近代文明の恩恵に浴する我々が科学そのものを全面的に否定することは不可能であるし、無意味である。だが、それは科学に吟味を加えることを否定しないであろう。なぜなら、自然科学が、その発展とともに環境問題という新たな問題を人類に突きつけたように、科学は決して全てが善きものとは限らないからである。

社会科学者たちは人間を対象としたデータを集積し、一般的な傾向を発見しようとする。確かに多くの統計を駆使することによってある傾向が導き出されるであろうことは否めない。しかし、それはあくまで個人間の差異を捨象した上にしか成立し得ない学問である。

そして指摘せねばならないのは、我々はそう簡単に個人間の差異を捨象してよいものなのか、という問題である。

ドストエフスキーは、まるでこの社会科学的思惟を嘲笑するかのような文章を残している。

「この光景はまるで」それまで長いことじっと立ちつくして傍観していたエヴゲーニイ・パーヴロヴィチが笑いだした。「先日から評判の、ある弁護士の弁論みたいじゃないか。その弁護士は強盗の目的で一度に六人も殺した被告の弁護をしながら、その被告の貧しさを説明しているうちに、ふと、つぎのような結論をひきだしたんだそうですよ。『この被告が貧しさのゆえに六人殺しを思いたったのは、きわめて自然なことであります。たとえ誰であろうとも被告の立場に立ったならば、こうしたことを思いついたにちがいありません』と、まあこんなふうなことを言ったそうですが、ただこれはひどく愛嬌のある話じゃありませんか。」

（ドストエフスキー『白痴』）

この場面で、エヴゲーニイが笑うのは強盗の目的で六人も殺した殺人犯の弁護人の話である。被告の貧しさを語るうちに、最終的に「この被告が貧しさのゆえに六人殺しを思いたったのは、きわめて自然なことであります。たとえ誰であろうとも被告の立場に立ったならば、こうしたことを思いついたにちがいありません」と述べたという。物事を極めて単純化した話ではあるが、社会科学の陥穽もここにある。どんなに貧しい状況でも罪を犯さぬ高貴な人々を忘れ、眼前の事象を以って全てを法則化してしまう恐しさといえよう。

これは愛嬌のある話どころではない。そして、現代ではいたるところで社会科学の名の下にこの種の単純化が繰り広げられ、その単純化に抵抗感を抱かぬ人間が増えている。まるで、その単純化を普遍的な真実であるかのように捉える傾向がある。本来人間は、個性的で魅力的であるべきである。人間の単純化・平均化をもたらす社会科学の負の側面は現在以上に指摘されてしかるべきではなかろうか。

また、個人間の差異の捨象を前提とする歴史は重要な問題を抱えている。それは、個人にとって歴史が学ぶにはあまりに魅力なき学問と化してしまうという問題である。歴史に生きる意義を見出すことや、人生の指針を求めることができなくなってしまうのである。過去の偉大な人々に想いを馳せ、卑小な我が身に鞭をうつことは歴史を学ぶ大きな意義といえよう。

無論、社会科学的な歴史は重要であることには間違いあるまい。社会科学が多くの事実を人類に提供した功績を忘れ去ってはなるまい。しかし、それでもなお人間における平均化を是とし、現状の追認ないし単純化のみに終始する社会科学的歴史哲学は、我々の望むべき歴史哲学ではない。

二　ヘーゲル　進歩的歴史哲学の陥穽

では次に社会科学とは全く異なった観点から歴史哲学を構築したドイツの哲学者

ヘーゲルの歴史哲学を眺めてみたい。

ヘーゲルは「理性が世界と世界史を支配しつづけている」(『歴史哲学講義』)と断定し、この理性を中心とした世界史を想定する。これがヘーゲル歴史哲学の真髄である。順次ヘーゲルの声に耳を傾けながら彼の歴史哲学を眺めてみよう。

まずは、「世界と世界史を支配しつづけている」理性とは一体何ものなのであろうか。ヘーゲルの声に耳を傾けよう。

「理性そのものがなんであるか、という問いは、理性が世界と関係づけてとらえられるかぎりで、世界の究極目的はなにか、という問いにつながります」とヘーゲルは答える。理性と世界とが関係するのであるから、理性とは何かと問うことは、世界の目的とは何かという問いに通じるという。そして、「究極目的の内容を定義づけること」と「その実現のさまをあきらかにすること」が重要であると指摘する。

では、世界の究極の目的の内容について見てみよう。

ヘーゲルは「世界史が精神の地平の上で展開すること」を挙げ、「世界史の本体は精神であり精神の発展過程です」と断ずる。この見解は通常の世界史とは全く異なっており、ヘーゲル独特のものといってよかろう。そしてさらに、精神について述べている。

精神の本性を認識するには、反対の極にある物質と対比してみるのがよい。物質の実体が重さであるとすれば、精神の実体ないし本質は自由であるといわねばなりません。

（ヘーゲル　前掲書）

ヘーゲルは、世界の物質の本質が重さにあるのならば精神の本質は自由であると断ずるのである。あくまで彼の断定であり、根拠は定かではない。

そしてさらに「精神は自由だ、という抽象的定義にしたがえば、世界の歴史とは、精神が本来の自己をしだいに正確に知っていく過程を叙述するもの」であるとする。即ち、世界史とは自由が拡大していく過程に他ならないとするのである。

独断のそしりをまぬがれぬ見解ではあるが、最後まで彼の見解を眺めてみよう。

ヘーゲルの独自の世界史観によれば、世界史における自由の実現のさまは基本的に三段階に示される基本原理から導き出されるという。

世界史は、自由の意識を内容とする原理の段階的発展としてしめされます。（略）第一段階は（略）精神が自然のありかたに埋没した状態であり、第二段階は、そこをぬけだして自由を意識した状態である、というだけでよい。（略）第三段階は、いまだ特殊な状態にある自由から純粋に普遍的な自由へと上昇し、精神の本質が自己意識および自己感情としてとらえられた状態です。この三段階が、一般的過程をあらわす基本原理です。

（ヘーゲル　前掲書）

ここでいう第一段階とは、「自然」、すなわちヘーゲルによれば、「不法と暴力と手に負えない自然衝動と非人間的な行為と感情の状態」の中に、本来獲得されるべきである「精神」すなわち「自由」が、いまだ発見されていない状態のことをいう。第二段階とは、「自由」が自覚され、「自然」を克服すべき対象として認識し、それを支配していく運動が展開されていく段階である。そして第三段階は、ヘーゲルが「歴史の最終段階」と呼ぶものであり、ゲルマン世界のもと「自由」が普遍的に拡大された世界のことである。その中において個人は、誰もが理性的に振る舞い、法を自らに課し、主体的に行動するという。

ただ、ここで若干の留意を要するのは、ヘーゲルの述べる「自由」の概念についてである。我々は「自由」と聞けば「心のままであること。思うとおり」（『広辞苑』）や「責任を持って何かをすることに障害（束縛・強制など）がないこと」などと捉えがちである。しかしながら、ヘーゲルの「自由」とはそのような我々の考える「自由」とは異なっている。ヘーゲルは次のように述べている。

社会や国家はたしかに制限をもうけるものですが、制限されるのは、未開のにぶい感情や粗野な衝動であり、さらにいえば、反省のくわわった自分勝手な恣意や情熱です。それらが制限されることをつうじて、本当の自由、つまり、理性的かつ概念的な自由が、はじめて意識され意思されるのです。自由とは、その概念からして、法や道徳をふくむものであり、法や道徳は、感覚とはべつの、感覚と対立しつつ発展していく思考の活動によって見いだされ、やがては感覚的な意思にも適用され、感覚的意思を理性的なものへとかえていくような、そういう普遍的かつ本質的な対象であり、目的です。自由をその本質的な対象や目的から切りはなして、形式的かつ主観的な意味にしかとらえないのは、はてしのない誤解であって、そうとらえると、特定の個人にしか属さない衝動や欲望や情熱の制限、ないし、恣意や我意の制限が、自由の制限と見なされてしまう。そのような制限は、むしろ、自由をうみだす条件と見なされるべきで、社会と国家こそが自由を実現する場なのです。

（ヘーゲル　前掲書）

即ちヘーゲルにおいては、低次元で感情的な自由が制限されたことのほうが理性的には自由であるということである。一見すると矛盾するようだが、順次考察してみよう。まず、ヘーゲルにおける本当の自由とは理性的な自由である。つまり、粗野な衝動に煩わされることなく理性を行使することである。そして、各自が理性的な自由を意識し、意思することが重要である。すると法や道徳による制限を加えて低次元な自由（欲望）を抑えることとは、本当の自由の拡大のために寄与しているということになる。法律や道徳は感覚ではなく人間を理性に近づけていく。この人間が理性に近づいていくこと自体が本当の自由に近づいていくことなのである。

この前提があるが故にヘーゲルの世界史は自由の拡大を意味するのである。野蛮人が心の赴くままに行動しているのは、ヘーゲルにとっては自由ではなく、むしろ不自由に近いのである。それゆえルソーが提唱したような、完全に自由な人間による自然状態という概念を「自然状態というものが絶対の徹底した不法の状態である」として、ヘーゲルは承認しないのである。国家、社会の法や道徳は真の自由を生み出していくもので、むしろ自由を生む条件となる。ヘーゲルによれば野蛮な未開人は本質的には不自由であると説くのである。彼によれば、国家、社会こそが自由を実現するための場所なのである。

ヘーゲルはこの基本原理に則って世界史を実際に叙述する。ヘーゲルによれば太陽が東から西に昇るように「世界史は東から西へとむかう」という。これは、自由が東から西に向かうにつれて拡大するというヘーゲルの歴史哲学によるものである。しかし、ここでも何故「世界史が東から西へとむかう」のかは明らかにされていない。

> 世界史は野放図な自然のままの意思を訓練して、普遍的で主体的な自由へといたらしめる過程です。東洋は過去から現在にいたるまで、**ひとり**が自由であることを認識するにすぎず、ギリシャとローマの世界は**特定の人びと**が自由だと認識し、ゲルマン世界は**万人**が自由であることを認識します。したがって、世界史に見られる第一の政治形態は**専制政治**であり、第二が**民主制**および**貴族制**、第三が**君主制**です。

（ヘーゲル　前掲書）

世界史は自由の拡大する過程であり、それは一人が自由な状態から特定の人々が自由な状態へと移行し、最終的には万人が自由な状態へと移行していくという。

そしてヘーゲルは以下のごとく具体例を挙げながら世界史における各地域を人間の時間に比べて述べている。

まず、ヘーゲルによれば、東洋は少年にたとえられる。

支配者は、ローマ皇帝のごとき専制君主ではなく、家長として頂点にたちます。というのも、かれは共同体精神の代弁者であり、すでに存在する本質的な命令を維持するだけであって、西洋においてはあくまで主観の自由に属する事柄が、東洋では共同体全体の決定にもとづいているからです。

（ヘーゲル　前掲書）

東洋においては、たった一人の皇帝のみが自由である。しかも、それは専制君主ではなく、共同体における家長に似た君主であるというのである。そして、「西洋においてはあくまで主観の自由に属する事柄が、東洋では共同体全体の決定にもとづいている」と批判するのである。

次に、ギリシャは青年にたとえられる。

> ここでは共同感情と主観的な意思が統一され、美しい自由の王国ができあがっている。(略)ただ、ここでの共同精神は、いまだ道徳にはいたらない無邪気なもので、主観の個人的な意思は、正義や法律を身近なしきたりや習慣のごときものとしてうけとっています。個人は共同体の目的に無邪気に一体化しているのです。
>
> (ヘーゲル 前掲書)

ギリシャにおいては「共同感情と主観的な意思が統一され」ている、すなわち、各人が生き生きと共同体に参画しているものの、「主観の個人的な意思は、正義や法律を身近なしきたりや習慣のごときものとしてうけとっています」という。そして、「個人は共同体の目的に無邪気に一体化しているのです」と批判するのである。

すなわち、「自然」と「自由」が完全に区別されておらず、理性によって法が選び取られていないと批判するのである。

そしてローマ帝国は壮年にたとえられる。

ローマ帝国はもはや都市国家アテネのような個人の王国ではない。明朗なよろこびはそこにはなく、つらい重労働があるばかりです。共同体の利害は個人をはなれたところにあって、しかも、個人は、みずから抽象的かつ形式的な共同体員としてあらわれざるをえない。共同体が個人をおさえつけ、個人は共同体のなかで自己を放棄するのですが、それとひきかえに、個人は一般的な人格性を獲得する。個人が個として法的人格をみとめられるのです。

（ヘーゲル　前掲書）

明朗なよろこびに溢れたギリシャに比べ、ローマはつらい労働があるばかりで暗い。しかし、ギリシャにおいては正義や法律といった自由を具体化するものがしきたりや習慣の次元にとどまっていた。一方、ローマでは各個人が法的人格を与えられるに至る。

すなわち理性的自由にそれだけ近づくというのである。ここにおいてヘーゲルはローマを肯定するのである。

最後に、ゲルマン世界を「精神は、まさに精神として統一をとりもどす」状態に至ると説く。ヘーゲルによればゲルマン世界こそが最も自由な世界ということになるのである。それは単なる野放図ではなく理性的自由であるとするのである。

以上ヘーゲルの世界史は自由の拡大の過程であるとする歴史哲学を概論したが、簡潔に言えば、ヘーゲルの提唱する「自由」の拡大とは、人間が衝動に駆られる野蛮人から理性的かつ主体的な存在へと進歩し、文明を発達させていくということである。

我々はここで以下の二点からこのヘーゲルの歴史哲学を批判することができよう。

第一に挙げられるのは、彼の偏見に満ちた人種観にある。「アフリカは世界史に属する地域ではなく、運動も発展も見られない」と断ずる点は、今日では到底許容できるところではない。また、例えば、インドに対しても「インドは空想と感情の国」「インド人は、明確な論理的内容を、観念的に理想化するか、低次元の感覚的なちがいとしてとらえるしかない」といった差別と偏見に満ちた記述がある。自らのゲルマン世界を最も自由であるとし、白色人種の優越を全面的に肯定するかのようなヘーゲルの理論は到底承服できない。

また、第二に批判されるべきは、そのあまりに安直な進歩史観である。

ヘーゲルは歴史を進歩させるものとしてすぐれた個人の情熱を挙げる。そして、その個人がいかなる失敗をなしたとしても、それは歴史を進歩させるための進歩税にしか過ぎぬと断ずるのである。

> 一般理念が情熱の活動を拱手傍観（きょうしゅぼうかん）し、一般理念の実現に寄与するものが損害や被害をうけても平然としているさまは、**理性の策略**とよぶにふさわしい。世界史上のできごとは、否定面と肯定面をあわせもつ。特殊なものは大抵は一般理念に太刀打ちできず、個人は一般理念のための犠牲者となる。理念は、存在税や変化税を支払うのに自分の財布から支払うのではなく、個人の情熱をもって支払いにあてるのです。
>
> （ヘーゲル　前掲書）

自由の拡大という一般理念が実現化するために個人の情熱が用いられる。そして、この情熱の持ち主がいかなる犠牲者となろうとも、それは単に理性の策略によってなされたものにしか過ぎない。理念は実現化のために個人の情熱を用いるのだという。

ここで我々は二〇世紀になされた最大の蛮行、全体主義国家によってなされた犯罪を思い起こさねばなるまい。例えば、ナチスドイツによるユダヤ人の大虐殺や、共産主義国家によってなされた大虐殺。これらを人類が進歩を遂げるという「一般理念」実現のための「理性の策謀」による「存在税」や「変化税」として居直る態度は、倫理的に糾弾されてしかるべきなのではあるまいか。

後にその歴史哲学を検討するベルジャーエフは、このような進歩の理念を厳しく批判する。

> 進歩の理論は、過去と現在を犠牲にして未来を神化するのであり、科学的見地からも哲学的ないし道徳的見地からもこれを正当化することはできない。
>
> （ベルジャーエフ『歴史の意味』）

進歩史観とは、過去と現在を犠牲にすることによって未来を美しく描き、ユートピアとして正当化する思想である。これは科学的見地からも哲学ないし道徳的見地から許されないとの見解である。さらにベルジャーエフは続ける。

実証的な進歩の観念は、それゆえわれわれが内面的に受けいれることのできないものであり、宗教的道徳的に承認しがたいものである。なぜなら、この観念の本性は、人生における苦悩の問題の解決を不可能にするからである、――全人類に対し、全世代に対し、全時代に対し、苦悩にみちた運命をもって生きたあらゆる人間に対して、悲劇的な矛盾と葛藤を解決することを不可能にするからである。この理論は厖大な群衆、人間的世代の果てしない連続、時代と時期の広大無辺な系列に対して、たんに死と墓窖を与えることを、意識的に、また本質的に、主張するものである。過去の人類は不完全な、苦悩にみち、矛盾にみちた状態に生きてきた。しかしいつの日か歴史的生命の頂点に、先行するいっさいの世代の冷えきった骨の上に、幸福な世代が出現し、それが頂上をきわめ、最高の生の充実、最高の至福と完成をわがものとすることができる。すべての世代はこのわれわれにとって未知で無縁な未来に出現するはずの幸福な選ばれた者たちを、このひとびとの至福の生を、実現せんがためのたんなる手段にすぎない。進歩の宗教は、いっさいの人間的世代、いっさいの人間的時期を、それ自身無価値、無目的、無意味なものとして、ただ未来の手段であり道具であるものとして見る。

（ベルジャーエフ　前掲書）

ヘーゲルが述べるがごとき進歩の観念においては、一人一人の人間の苦悩が解決されることはない。苦悩の中でたおれ、死んでいった膨大な群衆には墓が与えられるに過ぎない。全ての世代の人間が未来に出現すると思われる幸福な人々のための手段と化してしまうのである。すなわち、「進歩の宗教は、いっさいの人間的世代、いっさいの人間的時期を、それ自体無価値、無目的、無意味なものとして、ただ未来の手段であり道具であるものとして見る」ということになるのである。

過去の一切と現在を未来のための道具としかみなさぬヘーゲルの歴史哲学に対し、我々は現実には人類に耐え難い惨禍をもたらすこととなった事実を忘れるわけにはいかない。

しかしながら、それでもなお、ヘーゲルの歴史哲学が我々の眼に魅力的に映ずるのはなぜであろうか。思うに、それは瑣末な事実のみを歴史と断ずる見方や歴史のダイナミズムを感じさせることのない社会科学的歴史が横行する現代の歴史哲学に真っ向から対決するヘーゲルの姿勢そのものにあるのではないであろうか。

三　ベルジャーエフ　神学的歴史哲学の限界

では次に我々は、ヘーゲルの進歩史観を批判し、精神に着目しながらキリスト者の見地による独創的な歴史哲学を構築したベルジャーエフの歴史哲学を眺めてみたい。

ベルジャーエフとは我が国では篤学の徒しかその名を知らぬものの、世界ではその名を知られたロシアの宗教哲学者である。

まずベルジャーエフは歴史哲学を「精神的実在の認識にいたる道の一つ」「精神的生の秘義に参ぜしめる精神の科学である」と定義する。このためにベルジャーエフは社会科学的な歴史哲学を批判するのである。

あなたが学問的な歴史の本、たとえば古代民族の歴史についての本を読めば、そうした民族の文化史からたましいが完全に奪われていること、内的生命がもぬけの殻になっていること、外面的な写真か輪郭が与えられているにすぎないことを、あなたははっきりと感ずる。

（ベルジャーエフ 前掲書）

確かに我々が古代民族についての歴史書を読んだところで、そこに何らかの内的生命を感じるということはないであろう。単に歴史的な知識が蓄積されるのみである。

では、ベルジャーエフのいう「精神的実在」とはいったいいかなるものであろうか。そのためには、彼の独特な人間観、そしてそれに付随する時間観を眺めねばならない。

人間についてベルジャーエフは指摘している。

人間は《歴史的なもの》の中にある。そして《歴史的なもの》は人間的なものの中にある。人間と《歴史的なもの》の間には、きわめて深い、神秘的で、根源的な結合、きわめて具体的な共同性があって、両者を分離させることができない。

（ベルジャーエフ 前掲書）

先の人間と歴史についてのベルジャーエフの一文は、一読してみても何を彼が主張したいのか判然としない。

さらに彼は続けている。

人間はみな、その内的本性に従って、一個の宇宙、その中で現実の世界全体とすべての偉大な歴史的時代とが反映し、内在する一個のミクロコスモス（小宇宙）である。かれはたんに世界の微々たる断片ではない。あるいはまだ自己の意識状態の未熟さによって閉ざされていようとも、その意識が拡大し明晰になるにつれて内的に開かれている一種の大きな世界である。

（ベルジャーエフ　前掲書）

彼はさらに「このミクロコスモスの中には過去のすべての歴史的時代が閉じこめられている」とするのである。

すなわち、彼の歴史人間観によれば、各個人、一人一人の中に世界全体とすべての偉大な歴史的時代とが反映しているのである。そうすることによって、人間は存在の本質をつかむことができるのである。「精神的実在」とは、こうした文脈から語られている。良く評すれば壮大な、悪く評すれば荒唐無稽な人間観、歴史観にたじろいでしまう。だが、彼の見解に従えば、確かに「人間とは歴史的」であることとの理解は可能である。

この見解によれば過去から現在までの歴史的なものは自らの内に存在する。また未来も常にそれは過去、現在と密接に関わるものとしてのみ認識される。ここで重要になってくるのがベルジャーエフの時間認識である。ベルジャーエフは過去・現在・未来と時間を分割して思考することを批判する。ベルジャーエフは過去・現在・未来を分割して考える時間観を「悪しき時間」「堕ちた時間」とするのである。そして過去から繋がった時間を「永遠そのものの内的契機、永遠のある時期をあらわす時間」であるとするのである。「悪しき時間」においては、「時間はたんに部分に分割されているばかりでなく、そのそれぞれの部分がたがいに相喰み相闘っているのである。（略）悪しき時間は過去と未来に引き裂かれており、その中央に或る錯覚的な一点（現在）がある」。そしてさらにベルジャーエフは続ける。

もしこの過去と未来を引き裂いている悪しき時間、病める時間の存在だけをわれわれが承認するならば、われわれは真の、健全な、本来的な、引き裂かれない、死をもたらさない時間の中に起き、生の荷い手であって死の荷い手ではない時間の中に起こる本来的実在的な歴史的実在の実存を認識ないし、承認しないことになろう。

（ベルジャーエフ　前掲書）

すなわち、過去・現在・未来を引き裂いてしまう時間概念においては、人間は刹那の連続として現在を認識するにすぎない。それゆえに本来実在的である《歴史的なもの》が否定されてしまう。そして、そのような時間概念からは現在、そして未来のみを真の実在と捉えられることになると指摘するのである。

では人間はいかにして《歴史的なもの》を自らのうちに体得するのであろうか。ベルジャーエフはここにおいて「伝統」と「記憶」の重要性を指摘している。

伝統の中には内在的価値があるということである。その内的価値は、たとえば、ローマ建国の伝承――それはニーブールや近時の歴史家たちによって打ち破られた伝承である――の通りにいっさいが起こったというようなことを指すのではなく、それは、民族の記憶の中に保たれている伝承に、その民族の歴史的運命の或る示唆――或る象徴が隠れており、それが歴史哲学の形成と、歴史の深い意味の把握にとって第一義的な重要性を持っていることを指しているのである。歴史的伝統は歴史的生活の知識よりも重要である。なぜなら象徴的伝承の中には内的生命が開示されるからである。人間が内的精神的な自己認識の道において開示するところのものと連続的に結びつけられている歴史的実在の深処が開示されるからである。この伝統と人間の自己認識の道において開示されるものとの連関は、最高度に貴重である。

（ベルジャーエフ　前掲書）

伝統を重視するベルジャーエフは、伝統が事実そのものと違う場合においてすら、その意義を認めている。何故なら「民族の記憶」の中には、「民族の歴史的運命」のある示唆が隠れており、それが歴史哲学に意味を与えるからである。そこには、社会科学的歴史では捉えることのできない「内的生命」が存在している。この内的生命こそが重要である。この内的生命は一人の人間の自己認識に至る道と大きく関わる。この関係こそが重要だと指摘するのである。それゆえベルジャーエフは記憶の重要性についても述べている。

実に記憶こそ、死をもたらす時間の原理に対する不断の闘争の原理なのである。記憶は永遠の名においての、死をもたらす時間の力に対する闘争を意味する。記憶は、われわれの悪しき時間の中で、過ぎ去ったものを受けいれる根本形式である。われわれの悪しき、分裂した時間の中で過去はただ記憶の力によってのみ持続する。歴史的記憶はわれわれの時間的実在における永遠の精神の最高の現象である。それは時間の歴史的関連を維持する。記憶は歴史の基底である。記憶がなければ歴史は存在しないであろう。なぜならそのときはたとい歴史が生起しても、この分裂した時間の中で過去と現在と未来は絶望的に切り離されて、歴史の理解は不可能となるであろうから。

（ベルジャーエフ　前掲書）

先に述べた内的生命を宿す伝統を守るために記憶が重要となってくる。また記憶は、過去を受容しその消滅を防ぐものである。従って、先に述べた悪しき分割された時間に打ち勝つ力を持っている。「われわれの悪しき、分裂した時間の中で過去はただ記憶の力によってのみ持続する」のである。それゆえ「歴史的記憶はわれわれの時間的実在における永遠の精神の最高の現象」であり、「記憶がなければ歴史は存在しない」とまで述べるのである。

この伝統、記憶を重視し、自己の内部に歴史を有することの必要性を説くベルジャーエフの歴史哲学とは最終的に何処に向かうのであろうか。

先に我々は、伝統が個人の精神に内在するというベルジャーエフの指摘を受けた。彼はこれを以て「歴史的なるもの」と「形而上学的なるもの」の接近、そして最終的にはその合一を見るのである。これは彼がキリスト者であることに大きく関わる。彼は最後の審判による歴史の終末を信じるのである。

実にキリストによって、《形而上学的なもの》と《歴史的なもの》の分離は止んだ。それらは結合されて一体化したものとなった。《形而上学的なもの》自体が歴史的となる。そして《歴史的なもの》自体が形而上学的となる。天上的歴史は地上的歴史となり、地上的歴史は天上的歴史の契機として把握される。

（ベルジャーエフ　前掲書）

彼はキリストの存在に「形而上学的なもの」すなわち神と「歴史的なもの」すなわち地上における人間との合一を見るのである。

彼はフランス革命、ロシア革命といった進歩の理論を厳しく批判するが、その批判の根本には「歴史の内部では、絶対的な完全な状態の到来は不可能である。歴史の課題は、その領域を超えた彼岸においてはじめて解決される。（略）すなわちキリストの来臨を承認しなければならない」とのキリスト者としての信念があるのである。キリストの来臨なしの完全な状態などはありえないとする信念があるのである。

そしてベルジャーエフは続ける。

歴史の枠の中では個人的運命と世界的運命との、全人類の運命との、悲劇的葛藤は解くことができない。それゆえ、歴史は終末にいたらなければならない。世界は、そこで個人的な人間運命の問題が解決され、この人間運命と世界運命との悲劇的葛藤がその結末を見るであろうような、より高い実在の中に、十全な時間の中に歩みいらなければならない。

（ベルジャーエフ　前掲書）

つまり、地上におけるユートピアの実現不可能の運命は悲劇的な宿命を帯びていると述べる。その悲劇を克服するためには、真の終末が存在しなければならないと結論するのである。これこそがキリスト者ベルジャーエフの歴史哲学なのである。

すなわちベルジャーエフの歴史哲学とは、内的生命を宿す歴史的伝承と自己認識との関係を重視する。彼にとって時間は過去・現在・未来と区分されたものではない。連続するものである。彼の歴史哲学とは、記憶を持ちながら自らを連続する歴史的運命の中に身を置かせ、歴史を背負うことを要求することに他ならない。それゆえに「人間は《歴史的なもの》の中にある。そして《歴史的なもの》は人間的なものの中にある。人間と《歴史的なもの》の間には、きわめて深い、神秘的で、根源的な結合」となるのである。そしてそれはキリストの来臨という終末を持つ歴史、「形而上学的なるもの」と「歴史的なるもの」の合一を信じる哲学でもある。

さて、以上我々はベルジャーエフの歴史哲学を概観したのだが、ここから我々は如何なることを考察できるであろうか。

ベルジャーエフの歴史哲学そのものを、神秘主義的であるとして片づけてしまうことも可能ではあろう。確かに、キリスト者ならざる筆者には「世界の精神的受容の特殊な形式としての真の歴史哲学は、キリスト教的認識にのみ固有のものである。（略）キリスト教と歴史のあいだには、あらゆる他の宗教、地上のあらゆる他の精神的勢力に見られない関連が存在する」といった指摘や「東洋が非キリスト教的であるかぎり、それは世界歴史に参与しない。キリスト教を受けいれない東洋の諸民族は、世界歴史の激流の中にはいって行かない」といった傲慢を公言して憚(はばか)らない彼の歴史哲学を全面的に受容することはできない。「形而上学的なるもの」と「歴史的なるもの」の合一も、理論として認識できるものの、実感がわかないというのが本当のところである。

だが、「人間は《歴史的なもの》の中にある。そして《歴史的なもの》は人間的なものの中にある。人間と《歴史的なもの》の間には、きわめて深い、神秘的で、根源的な結合、きわめて具体的な共同性があって、両者を分離させることができない」として歴史と人間の合一を指摘した点や、過去・現在・未来の繋がりを強調する点は、受容できない部分を割り引いてもなお新鮮で魅力的であるように思われるのである。歴史との断絶が顕著である現在の日本人が取り戻すべき歴史哲学の手掛かりがあるように思われるのである。個としての生き方のみを強要され、それを苦とするニヒリズムがとぐろをまく現代日本にも参考となる垂直的歴史観ではなかろうか。

四　坂本多加雄　国民国家「来歴」の可能性

日本人において興味深い歴史哲学を提出したのが坂本多加雄である。

まず坂本は、自己のアイデンティティの形成における「選択する自己」から「物語る自己」への転換の重要性を説いている。

ある人物について、現在に至るまでの様々な時点での様々な属性についてのアンケートを試みて、その結果を単に羅列してみても、当人の「何者」は必ずしも明らかにはならないことを意味している。むしろ、そのような諸々の属性や、その間に見られる変化について、当人がどのような態度をとってきたのか、そして、現在とっているかということが重要なのである。たとえば、自らの性格について「内向的」であると答えた者が、そのことによって一生損ばかりしてきたと語る場合と、その性格を克服するために様々な努力の結果、なにがしかプラスのものを得たと語る場合とでは、われわれは、かなり異なった人物像を思い描くであろう。すなわち、ある人物の「何者」は、様々な属性のみならず、それに対する本人の主体的な態度が関わるのであり、物語とは、まさしく、そうした主体性が浮かび上がる場なのである。

ここにおいて、われわれは、「選択する自己」ならぬ「物語る自己」の観念に到達する。（坂本多加雄『象徴天皇制度と日本の来歴』）

自分とは誰か、とたずねられたとき、自らは二十一歳の男性である、早稲田大学に通う大学生である、といった個人の属性の諸々を挙げていったところで、それを語っている自らが何者であるかは判然としてこない。自らはいかに生きてきて、将来に関していかなる夢を抱いているのかを物語ることのほうが当人が何者であるかが理解できる。

つまり、ある自らが自らについての物語を語るとき、そこにその人物が何者であり、何者であったのかというアイデンティティが形成されると説くのである。そして自らが語るその物語を坂本は「来歴」と称するのである。

まずここで留意しなければならないことがいくつか挙げられよう。

来歴の定義は、歴史の定義に比べて、恣意性を持つため、一見すると「真実性」に劣るように思えることである。「当人が自己自身について語るもの」がその当人を欺いていたのなら、その来歴は単なるフィクションとなってしまう。しかしながら、その当人がいったい何者であるかということを理解するには、来歴は欠かすことができない。そのため坂本は、来歴を語る際に、その真実性を高めるために必要なこととして以下の二つのことを説いている。

一、自らの来歴を誠実に語ること。
二、歴史研究を、来歴が言及する個々の事実の実在性を確証するために用いること。

即ち、自らが自らを美化したり、ことさらに卑下したりすることを禁ずる。そして、また重要なことは当人の思い込みや、誤解の部分をいかにして減らすかということである。自らが来歴を語る際に誤りを事実と心より思い込んでいる場面もままあるからである。ここで重要となってくるのが実証的な歴史学である。この実証的歴史学を基礎におきながら、自らの来歴を語ることが重要であると説くのである。

自らの来歴を誠実に語ることの重要性は明らかであろう。不誠実に語ればそれは単なるフィクションにしか過ぎないからである。そしてまた、第二に挙げられている歴史研究とは実証的な歴史学のことである。そして、このような個人における来歴の重要性は、国家においてはさらに重要なものとなると坂本は述べる。

> 個人とは異なり、それ自体の眼に見える実体を持たない国家の通時的な同一性は、個人の場合における以上に決定的に、このようにして語られた物語の一貫性のなかにその根拠を持つと言いうるであろう。
>
> （坂本多加雄　前掲書）

国家とはそれ自体で知覚できる実体を持たない。それゆえ、実体が存在する個人以上に来歴による意義づけが重要となってくるのである。

こうして坂本は国家における来歴の重要性を指摘するのである。つまり国家における来歴こそが、その国民をその国民足らしめると坂本は述べるのである。

おそらく坂本の議論に対する最もありうべき反論は、坂本が為す、ある意味フィクションの趣を有するという国家観念を積極的に擁護する姿勢自身に対して向けられよう。来歴によって形成される共同性に基盤を置く国民国家という幻想を打ち破ることによって、「国民」から「世界市民」への飛躍が望まれるとする議論が提出されることもありえよう。

ここにおいて歴史哲学は国民国家の壁に向かわざるをえなくなる。そこで次章では、歴史哲学をいったん離れて現代を取り巻く国民国家を巡る政治環境を概括し、坂本の述べた「来歴」による歴史哲学の再検討を試みたい。

第2章　民族共同体としての国家

一　国家とは必要か

戦後日本において最も忌み嫌われた言葉は何であろうか。具体的な統計を取ったわけではないので正確さを欠くが、恐らく「国家」という言葉もその一つではなかろうか。所謂戦後民主主義を信奉する人々は、国家に対する嫌悪感を露骨に表し、国家を人民と対峙する抑圧機関と見なしがちであった。彼らは国境を越えた「世界市民」を目指すと称して、国家に対して真剣に考察することがなかった。

なるほど確かに国家とはある領域内で暴力を独占し、絶大な権力を握る怪物であるともいえる。だが、果たして国家を悪と断罪し、国家の桎梏から解き放たれることによって我々は平和で幸福な生活を享受することが可能となるのであろうか。

断じて違うといわねばならない。

国家は国民に対して生命・財産の保護を約束し、法によって一定の正義を保っている。我々が夢想するのとは逆に、国家が存在しない世界とは、秩序なく混乱を極め、そこに住む人々は国家がある以上の苦しみを味わっている。

ここから、まず国家は国民に対してできうる限りの理性的な秩序を与えるということが指摘できよう。

キューバにてカストロやチェ・ゲバラと革命運動に従事したこともあるレジス・ドブレは社会学者ジャン・ジーグラーとの対話の中で興味深い発言をしている。

人間は市民としてでなければ、つまり法に支配され、法の前での万人の根源的な平等を保証する政体に属すのでなければ、自己の権利を享受できない。国家不在のところでは、人権もありえない。（略）国家がなかったら、不平等や抑圧は自然状態に放置され、人間は野放しの殺戮(さつりく)状況におちいるだけだ。

（ジャン・ジーグラー、レジス・ドブレ『屈服しないこと』）

ここでドブレは、国家不在の情況に陥ったときに、そこに表れるのは単なる無政府状態であり、それは極めて残虐で耐え難いものであることを指摘し、国家の必要を説いている。かつてはマルキストとして革命運動に奔走したドブレの国家擁護論は、空理空論を超えた重みを持っている。

ここで展開されているのは、国家が国民に対して理性的な秩序を与え、その秩序の中において国民は平和を享受できるという考え方である。そしてそれゆえに国家が必要であると説くのである。確かにその通りであるといえよう。国家を失ったチベット人、国家を形成できずに民族同士が剥き出しのナショナリズムを携えて凶暴に相争うバルカン半島の現状などは、理性的な秩序としての国家の重要性を改めて我々に示唆しているように思われる。

例えば、戦前の満洲の例が挙げられる。現在では満洲の地域を中国は東北と称し、さも従来からの固有の領土であるかのごとく振る舞っている。だが、実際には万里の長城以北の土地は、「化外（けがい）の地」と蔑視され、古くより中国の一部とは考えられてこなかったのである。

満洲族による征服王朝清は、従来漢民族による満洲への流入を防ぐため、一種の鎖国政策をとっていた。そのため逆に満洲の住民は先住民を除けば、みな馬賊・匪賊かその家族であった。

この満洲が混乱を極めるのは、清朝が崩壊し、国家なき状態に陥ったときである。馬賊・匪賊と軍閥による掠奪につぐ掠奪は、まさに秩序とは無縁の無法地帯であった。

昭和六年九月十八日の柳条湖事件を発端として起こった満洲事変の後、満洲国が建国されると住民の多くはこれを歓迎した。何故なら満洲国は国家として軍閥を駆逐し、馬賊・匪賊を掃討し、秩序をもたらしたからである。警察制度や税制を整え、政府財政を安定させた。

まさに満洲国は法治国家として内部の国民に秩序を与えたからこそ、年間百万人近くの人間が、長城を越えて、満洲になだれ込んできたのである。

国家が国民に理性的な秩序を与え、国家の不在が国民に混乱と騒擾をもたらすことは明らかであろう。

一六四二年に勃発した清教徒革命による混乱を目の当たりにし、秩序をもたらす国家の必要を説いた哲学者として、イギリスのホッブズを挙げることができる。

彼にとって自然状態とは「万人の万人に対する闘争」の場であり、そのままでは本質的に自らにとって危険な状態であった。各人は自己保存の欲求に基づいて国家を形成するというのが、彼の国家論の本質であった。

だが、この理性的秩序としての国家との観点からのみでは、生命をなげうってまで国家を守るべきであるとの道理は生じない。

古代政治哲学の意義を一貫して説き続けたアメリカの政治哲学者レオ・シュトラウスは指摘している。

ホッブズによれば（略）戦闘において己れの生命を失う恐怖から隊列を離れる者は、不名誉なことをした「だけ」であって、不正なことをしたわけではないのである。国家は個々人に対して、条件付きの服従を当然の権利として要求できるだけである。つまり、個々人の生命の救済と維持に矛盾しないかぎりで服従を要求できるだけなのである。なぜなら、生命の保護が国家の究極の根拠だからである。人間はたしかにその他の点では「国家に」絶対服従の義務をもつが、自分の生命を賭する義務はもたない。なんといっても死は最大の悪なのだから。

（レオ・シュトラウス『ホッブズの政治学』）

すなわち、国家とはそもそも死を恐れることから結ばれた契約にその成立の根拠を置く。よって国家が契約の当事者である国民に死を要求するのは矛盾している。理性的秩序のみを目標とする国家はあくまで本来闘争的である人間に秩序を与えるだけの機関にしか過ぎない。従って国家は国民に生命を強要するべきでもなければ国民が生命をかけて守るべきでもないということになるのである。

しかしながら、国家とは単なる国民に秩序を与える機関のみではあるまい。国家とは国民にある種の帰属意識を与える共同体でもあろう。次に帰属意識への意志が強固であることを指摘し、帰属意識を与える共同体としての国家を検討してみたい。

二　帰属の対象としての国家

一九八九年のベルリンの壁崩壊、引き続いてのソ連の崩壊は、長い冷戦の終結を告げるとともに、共産主義の終焉と捉えられ、自由主義国家はこれを歓声とともに迎えた。ソ連の崩壊は共産主義に対する自由主義の勝利であるとみなされ、将来に対する楽観的な態度が散見された。そうした自由主義国家の潮流を象徴するのがF・フクヤマによる『歴史の終わり』であった。フクヤマは封建主義、ファシズム、無政府主義などといった欠陥のある制度から西洋型の自由民主主義社会に移行していくプロセスを歴史であるとし、自由民主主義体制に挑戦する最後の政治体制が共産主義体制であると見なした。従って、フクヤマの見解においては、将来に大きな事件は起こりうるが、歴史を変化させたり自由民主主義体制という政治システムを根本から否定したりするような事件は起こりえないと説いた。

これに対してイギリスのジャーナリストであるイグナティエフはその著『民族はなぜ殺しあうのか』において述べる。

（我々は将来に関して）とんでもない見当違いをしていたと思い知る。帝国主義最後の時代に取って代わって現れたのは、新たな暴力の時代であった。新世界秩序、その基本となる筋書きは民族紛争による国家分裂、主な担い手は軍司令官、そして、時代の合言葉は、民族ナショナリズムである。（括弧内は引用者。以下同）

（イグナティエフ『民族はなぜ殺しあうのか』）

米ソという帝国主義最後の時代の後に現れたのは、平和な世界ではなかった。冷戦の終結は共産主義というイデオロギーの脆弱さとその実現不可能性を明らかにしたものの、それは平和な自由民主主義体制下のユートピア的世界の到来を告げるものではなかったのである。続々と勃発する民族紛争に見るごとく、「時代の合言葉は、民族ナショナリズムである」。ユーゴスラヴィア崩壊後の大混乱や一九九四年のルワンダにおける部族間の大殺戮に対して、歴史の終焉論者たちは、あいもかかわらぬ人間が起こした事件であり、あくまで局地的な出来事にしか過ぎないと説くかもしれない。しかしながら、それらを分析してみると安易に局地的な事件とするだけでは留まらない大きな問題が存在していることが見えてくる。

ユーゴスラヴィアにおいては独裁者チトーの死後、民族主義が各地で頭をもたげることとなる。チトーはバルカン南部主要六民族の統一を成し遂げた。これこそがユーゴスラヴィアの誕生である。彼は連邦体制をとることによって各民族の独立への憧れを平和裡に満たしうると考えた。彼はイデオロギーによる支配により、民族を超えるユーゴスラヴィア国民としての意識が国民に芽生えることを望んだ。しかしながら、彼の死後には急速にナショナリズムが勃興してくる。

この原因をイグナティエフは指摘する。

八〇年代、ユーゴの政治がナショナリズムに傾いたのは、民族間の差異そのものが原因ではない。セルビアを先頭に、生き残りの共産党エリートたちが、権力を維持しようと、民族意識を操り出したためである。民族間の差異の意識は、憎悪へと、ここではじめて転化した。

（イグナティエフ　前掲書）

ここにおいて我々は民族への帰属意識の堅固さと、その持つ凶暴な力に悄然（しょうぜん）たる思いを感じざるをえない。一度はチトーにより抑圧されていたナショナリズムが彼の死後、権力争いのために利用された。ナショナリズムは抑圧されていた分、その反動としてより過激で凶悪な容貌を表すのである。ことはユーゴスラヴィアに留まらない。アフリカのルワンダの場合も考察してみよう。

ルワンダにおける虐殺は、フツ族が抱く帰属意識の不安があった。そしてツチ族とフツ族とは言語のレベルでも文化のレベルでも識別できないほどの類似性を有していたにもかかわらず、互いに憎悪の念を持ち続けた。フツ族が子孫であるところの「土着のアフリカ性」と、ツチ族が継承している白人の血の極めて古い混入結果としての「アフリカ化したアーリア人」との間の千年を巡る対立がその発端となっている。その結果として大量殺戮が行われたのである。これに対してフランスの哲学者ベルナール・アンリ・レヴィはその原因を『危険な純粋さ』において、「純粋さへの意志」「原理主義」と断定した。始源の純粋さを求める原理主義が、過激なナショナリズムの根底にあると説いたのである。

確かにユーゴスラヴィア、ルワンダに共通する事柄として共通するのは「純粋さへの意志」に基づいたナショナリズムであり、原理主義である。帰属意識の発露としての殺戮や、強迫的な「純粋さへの意志」に基づく暴力が散見される。

だが、これこそが現実ではないか。端的に述べれば、歴史は終わらなかったのではないであろうか。これらの事件を挙げても、歴史の終焉論者には、それは確かに残虐ではあるものの、歴史の進歩、発展が遅れている後進国における事件であり、歴史の大局から考えればあくまで局地的なものに過ぎないといわれるかもしれない。すなわち時が経てば自然におさまる問題であると述べるかもしれない。ナショナリズムは後進国の問題であるとするかもしれない。

だが、この「純粋さへの意志」に基づくナショナリズムは先進国にも浸透していることを見逃すわけにはいかない。

二〇〇二年、フランス大統領選挙において民族主義政党「国民戦線」の党首であるルペンが、決選投票にまで進出した。ルペンは自国のアイデンティティを守り抜くためと称して、ヨーロッパ統合には反対し、移民に対しても移民排斥に近い政策を提唱している。このナショナリズムの動きはフランスだけのものではない。オーストリアでは自由党のハイダーが首相に選出され、オランダでは反イスラム、移民受け入れ制限を提唱したピム・フォルトゥインが大衆から圧倒的な支持を受けた。フランスで国民戦線に投票する若者の声に耳を傾けてみよう。

貧困に苦しむ人々が豊かさを求めて移民となってやって来るのは、当然のことで、それは理解できる。しかし、それをそのまま放置しておいていいわけはない。大量の移民たちのせいで、フランス人が生活に困っている。この国は誰のものなのか？

（略）町の市場や一部の地域に行ってみればわかる。フランス語が一言も聞こえてこない。彼ら（アラブ人）はこっち（フランス人）を侵入者のように見る。

本当に変な気持ちになる。

何と言えばいいのだろう？

本当に奇妙な感じ。

不安感。

怯え。

そういう状態が、どんどんひどくなっている。

（山本賢蔵『右傾化に魅せられた人々』）

ここでのフランス人は自民族のものであるべき国家が、ある民族によって奪われようとしているとの危機感を抱き、帰属すべき国家の変容から自らのアイデンティティが失われようとしていることを恐れている。この恐怖の感情が、何らかの契機をえて、暴力的、排外的なナショナリズムへと繋がっていくのである。

ルペンの率いる国民戦線の幹部は若者がどうして国民戦線に投票するようになったかを次のように説明する。

職のないまま道をぶらぶら歩いていた。卑屈な気分だった。そこに、豪華なオープンカーが通り過ぎた。ゴルフ帽を被った〈アラブのクソ〉が彼女と一緒に乗っていた。それを見て、自分でも説明のつかないほど怒りを覚えた。次の選挙で、国民戦線に投票するようになった――。そういうものじゃないか、若者の心情は。イデオロギーではないんだ。

（山本賢蔵　前掲書）

これはまさにイデオロギーを超えたナショナリズムであり、フランス人のフランスという純粋さへの意志でもある。ユーゴスラヴィア、ルワンダにも共通するものがあるであろう。

このような帰属を巡る純粋さへの意志に対してレヴィは徹底的に民主主義者として戦うことを宣言する。彼はこの世に悪は必ず存在し、それを何らかのユートピア（例えば、自民族のみの平和な国家）の実現によって消滅させようとする企てを、全て純粋さへの意志に端を発するものとして拒絶する。何故なら、その企ては現存している以上の悪を招来するからである。

そしてレヴィは国家や何らかの共同体を「善き共同体」として捉えることを拒絶するよう求める。さらに「理性に基づいた世界市民主義」に同意することを求めるのである。

また、先述したイグナティエフはナショナリズムを「市民的ナショナリズム」と「民族的ナショナリズム」とに区別する。前者は「人種、肌の色、信条、性別、言語、民族性にかかわらず、その国の政治理念を支持する者はすべて社会の成員である、と定義する。なぜ『市民的』ナショナリズムかといえば、平等な権利を有する市民が、政治上の一連の価値や手続きを共有し、その一点において社会への忠誠を誓い、結ばれているからであり、このような共同体を『国（ネイション）』とみなすからである」としている。そして後者は「民をして国への思慕を抱かせるのは、平等の権利を保障する冷たい『仕組み』などではなく、言語、宗教、慣習、伝統といった、歴史に根ざす民族性だ」とする。

この両者を対比してイグナティエフは自らを市民的ナショナリストであると任じ、民族的ナショナリズムの危険性を指摘する。

だが、興味深いのはイグナティエフが一方でこのような心境をも吐露していることである。

「国（ネイション）」はすべての人に開かれた家であり、人種、肌の色、宗教、信条のいかんによって閉ざされるものではないと信じる者と、「国（ネイション）」は自民族のみの家であれと望む者とが、今回訪ねたすべての土地で、これからも火花を散らしていくだろう。市民国家と民族国家の戦いだ。自分がいずれを支持する者かはわかっている。しかしいま、勝利を収めつつあるのがいずれであるか、それもまた、わたしは認めざるをえない。

（イグナティエフ　前掲書）

イグナティエフが告白するように、「民族ナショナリズム」、あるいはレヴィのいう「純粋さへの意志」によるナショナリズムが世界を席巻しつつある。

これは何故なのであろうか。

それはナショナリズムに象徴される人間の帰属心とは本質的に弱い人間のニードであり、帰属への意志とは純然たるニードに基づくものであるからとは考えられないだろうか。レヴィの主張する世界市民主義であれ、イグナティエフの主張する市民的ナショナリズムであれ、そこでの帰属意識はかなりの程度に人為的に作り出されたものであり、またそこへの帰属意識は知性による要請によってはじめて到達しうるものでもある。一方、純粋さへの意志に基づくナショナリズムや民族的ナショナリズムは民族の歴史という、ある種の自然に基づくもの（あるいは自然的な装いをしているともいえよう）であり、人間の感情に訴えかけるものである。

この問題についてジャン・ジーグラーとレジス・ドブレが非常に興味深い対話をしている。

ジーグラー　一方では世界はどんどん人為的に統合されてゆく。映像による統合化、通信衛星による世界の統合化だ。この情報化による世界統合は、たとえばブラジル北東部の僻村にまで浸透してゆく。あるいはまたアフリカやビルマ高原のさいはてから、一瞬にしてその映像をわれわれのもとへ送り届ける。だから一見すれば、ここから普遍的な意識、地球規模的な認識が芽生えてもいいはずだ。つまり他者認識、他者存在を感知し、自分との違いを認識し、差異を受容して、われわれが一瞬にして見ることができ、知ることができる悲惨を現に嘗めている人々に対する一種の連帯感が生まれるのが、ごく自然の成り行きのはずだ。ところが実際に起きているのは、その正反対のことだ。

ドブレ　世界統合の進行とインターナショナリズムの危機とは、ぼくには相関的なものだと思われるな。いわゆる帰属意識は、テクノロジーによって変貌した世界の中にもはや自分の故郷を見つけることができず、程度の差はあれ、何らかのアルカイックな起源を求めて、強いアイデンティティーをもたらす原始的共同体に戻ってゆかざるをえないのだ。

（ジャン・ジーグラー、レジス・ドブレ 前掲書）

我々の生きる世界は、科学技術の進化によってかつてないほど狭くなっているといえる。「アフリカやビルマ高原のさいはてから、一瞬にしてその映像をわれわれのもとへ送り届ける」ことなど、かつては夢物語でしかなかったはずである。しかしながら、その狭くなった世界では、地球規模的な認識、あるいは連帯意識が芽生えるどころか、むしろその正反対のことが起こっている。

この指摘を受けてドブレは、それらを帰属意識の問題と見なすのである。技術によって狭められた地球に人々は帰属意識を持つことができないためにアルカイックな共同体にその帰属意識を求めるのである、と。

三　国家ナショナリズムとポストモダン思想

すべての人為的束縛からの解放と自由を求めてきたのが近代であるとすれば、それは構成員に何らかの制約を設ける帰属からの一貫した離脱の試みであったといえよう。しかし、あまりにも多様化し　複雑化した自由の重圧からの逃走の先にあったのが先鋭化した帰属意識とでもいうべきナショナリズムであったのではないか。

ニードとしての帰属心の表れとしてのナショナリズムは、例えばサッカーにおけるワールド・カップにおいて顕著ではなかろうか。冒頭で述べたように、常日頃は日本人であることに対する不安感、罪悪感を有するにいたっているはずの日本人が、あれほどまでに熱烈に日本人選手を応援するのはなぜであろうか。

それはやはり何らかの共同体に帰属していたいとする人間のニードの発露なのではないであろうか。その根本的なニードに何らかの形で応えることが政治には要請される。ここにおいて、粗野なナショナリズムを馴致（じゅんち）し、健全なニードとしての帰属心を満足させうるナショナリズムの必要性が生まれるのではなかろうか。無理に人間のニードたる帰属心を否定することは、逆に凶暴で粗野な形でのナショナリズムの台頭を許すことに繋がるのではないか。健全な愛国心こそが、逆に排外的なナショナリズムを抑制し、馴致していくことを可能にするのではないかと考えるのである。

ここにおいてありうべき反論は、帰属の対象を国家に限定することへの反論であろう。

かつてベネディクト・アンダーソンは、国家とは、その構成員たる国民の想像に基づいたフィクションでしかないと指摘した。確かに我々は国民であるということを、見たり、聞いたり、知覚できるわけではない。その意味において我々は自身で想像する以外には国民たりえない。

これを以って国家とは虚構にしか過ぎぬといって国家を過小評価する向きがある。しかしながら、これはあまりに性急な論ではあるまいか。

まずイグナティエフが指摘したように、民族に対する帰属意識は強固である。それは民族を知覚することはできないが、かなり具体的な像として帰属の対象となるからであろう。「地球市民」や「世界市民」といってみても具体的な像としてそれを描くことはできない。しかし、「日本人」なり「アメリカ人」といった場合には、かなりの程度にその像を描くことができよう。そして後に述べるが、国民国家とは帰属意識の対象となりうる具体像の形成を容易にしている共同体でもあるのである。すなわち国家がベネディクト・アンダーソンのいう「想像の共同体」であってすら、その擁護がなされなければならないのではなかろうか。

戦後世界中で流行したポストモダンの思想の中心に「脱構築」の概念がある。前提を前提とすることに疑問を呈し、対手のテキストを精緻に再構成する中から、革新的な事象を建設しようとする営みが脱構築である。この思考方法に我々は先の国家不要論の不毛を読み解く鍵を見出せないであろうか。

つまり、極論を承知で結論を急げば、「脱構築」の果てには、何があるのかを考えないことがポストモダンの長所であり、短所であった。「脱構築」の果てを考えない、ある種の思考停止は、過激な真実を暴くことが可能であったという意味においては長所であったといえよう。しかしながら、現実世界の中で我々人間が真実ではなくある種の虚構の中でこそ幸福を享受していたと考えることも可能であろう。そうであるならば、その人びとに幸福を与える虚構を暴き、孤独な真実の世界へと人類を追いやり、それが反動的に低次元な感情をそのままに爆発させる結果となったならば、何ともいいようのない皮肉である。

先に述べたように国家をフィクションと見なす思考形式においては、家族すらもフィクションといいうる。その思考方法に従えば、夫婦とは「夫」を「夫」として、「妻」を「妻」として想像しているだけのフィクションに過ぎないということは可能であろう。しかし、我々は現実には「夫」を「夫」として、「妻」を「妻」として実感することによって幸せな家庭を築き上げているのであろう。一般に自らの「夫」なり「妻」なりを「フィクションでしかない」と発言する人間はいささか常軌を逸した人間として受け止められるのが当然ではなかろうか。

イギリスの保守主義者チェスタトンは「狂人とは理性を失った人ではない。狂人とは理性以外のあらゆる物を失った人である」(『正統とは何か』)と述べ、理性への盲信を戒めている。

確かに理性によっては家族や国家もフィクションであるとすることは可能である。しかしながら、それはチェスタトンがいうところの「狂人」の論理ではあるまいか。「彼ら(狂人)の論理にも一種の普遍性がなくはないが、それはただ、彼がたった一つのせせこましい理論にしがみつき、それをとことんまで突きつめて得ている普遍性にしか過ぎない」というチェスタトンの指摘はまことに的を射たものであろう。

また、あえてこう言うことも可能であろう。人間がある種のフィクションの中に幸福を見出すとすれば、人間のニードに応えうるフィクションの再構築こそが望まれる、と。

ここにおいて我々は国家、及びその「来歴」の重要性を理解すべきなのではなかろうか。

四　垂直的国家観としての国家

長らく国家の必要性について論じてきたが、次いでいかなる国家が望まれるのかを考えたい。ここにおいて坂本の説く「来歴」の重要性が明らかとなる。国家を国家として成り立たせるもの、それこそがまさに国家の来歴に他ならないのである。すなわち、国家とは、ある政府によって統治された一定の範囲という水平的な共同体でもあるが、来歴によって過去・現在・未来が一つに束ねられた垂直的な共同体であるともいえよう。

保守主義の始祖とされるエドマンド・バークはその著『フランス革命の省察』において、垂直的共同体としての国家観を明らかにしている。

> 国家は、現に生存している者の間の組合たるに止まらず、現存する者、既に逝った者、はたまた将来生を享くべき者の間の組合となります。
>
> （エドマンド・バーク『フランス革命の省察』）

それゆえ「国家や法を一時的ないし終身で所有している人々が、祖先から受け取ったものや本来子孫に属すべきものを忘れて、恰（あたか）も自分達こそ完全な主人であるかの如くに行為する、といったことがあってはならない」とするのである。

バークは国家を垂直的共同体と見なし、過去、未来と切り離された現在に生きる国民のみが繁栄することを望む姿勢を厳しく批判している。

同様の国家観は伝統の擁護という観点からチェスタトンにおいても優れた比喩を以て語られている。

伝統とは、あらゆる階級のうちもっとも陽の目を見ぬ階級、われらが祖先に投票権を与えることを意味するのである。死者の民主主義なのだ。単にたまたま今生きて動いているというだけで、今の人間が投票権を独占するなどということは、生者の傲慢な寡頭政治以外の何物でもない。

（チェスタトン　前掲書）

従ってこの垂直的共同体に属する事柄を決定する際に重要になるのは過去同じ共同体に生きた先人の声なのである。

（この共同体に関わる案件に関して）われわれは死者を会議に招かねばならない。古代のギリシア人は石で投票したというが、死者には墓石で投票して貰わなければならない。

（チェスタトン　前掲書）

このバーク、チェスタトンによって明快に指摘された国家観と、それを成立させる国家の来歴。ここにこそ我々の取り戻すべき歴史哲学を発見することが可能なのではなかろうか。先人たちが我々にいかに垂直的共同体としての国家を引き継いできたのか。その歴史こそが物語られねばならないのではないか。彼らのその獅子奮迅の努力に敬意を払い、深甚の感謝の念を抱いてこそ、自らもその偉大なる共同体を次代へと継承させていかんとの気概が生まれるのではないか。

筆者は先に家族の例を引き、それをフィクションとして冷徹に相対化するのではなく、そこに愛着を持つ家族としての実感を抱くことのほうが、一般的に幸せであることを指摘した。これと同様のことが国家に対しても指摘できないであろうか。国家を自らの外に敵対的なフィクションとして捉えて斜に構えることよりも、自らも国家を構成する国民としての愛着と実感を抱くことのほうが、幸福なのではなかろうか。そして先に指摘したことではあるが、「来歴」によって描かれる国家とはかなりの程度に具体的に愛着を抱くことができる存在なのではなかろうか。

ここで国家に対する愛着と言った際に、それを同時代のみにおける水平的な国家に矮小化してはならない。ある国民の口から「国家のため」といった言葉が発せられた場合、そこでの国家とは水平的な国家ばかりではあるまい。過去・現在・未来にわたる垂直的共同体としての国家が想定されているはずである。

五　垂直的国家観の表徴——靖国神社

例えば、この垂直的共同体としての国家を端的に表徴した存在として靖国神社を挙げることができる。過去において、後世の国民のために戦い散華していった英霊を祀るのは、垂直的国家観の表れであろう。

昨今、靖国をめぐっての問題がかまびすしく議論されているが、本質は、この垂直的共同体としての国家を表徴しているとの点にある。

この点に真っ向から異を唱えているのが、東大教授・高橋哲哉の『靖国問題』である。

「靖国神社の歴史を踏まえながらも、本書では、靖国問題とはどのような問題であるのか、どのような筋道で考えていけばよいのかを論理的に明らかにすることに重点をおきたい」（『靖国問題』）との高橋の姿勢や「哲学で斬る靖国」との表現が斬新なため多くの読者を得たように思われる。そして、その論理的、哲学的に導き出されたとされる靖国批判が従来為されてきた靖国批判とは根本的に異なる批判であることが新鮮さを与えているのでもあろう。

徹底した靖国神社批判の中で保守派の重鎮、葦津珍彦・江藤淳などが批判されている。丁寧に論理的に彼らを批判するために、読後には論理的に杜撰（ずさん）な靖国肯定派と高橋のごとく知的で誠実な靖国批判派とのコントラストが鮮やかな印象として残る。

ここでは、高橋が提出した新たな靖国批判に対する再批判を論理的に、哲学的に行うことに主眼を置き、靖国神社の意義を説く。そのために大東亜戦争を一方的にアジアに対する侵略戦争であったと断ずる歴史認識、中国がA級戦犯の分祠を要求することによって、他のB・C級戦犯問題には目をつぶって、政治的決着をつけようとしているという政治認識、首相の靖国参拝は日本国憲法第二十条で定める政教分離に違反する違憲行為であるとの法認識。高橋が本書において展開するそれらいずれもが誤謬であるが、それらは旧態依然とした批判に過ぎず、既に論駁(ろんばく)され尽くしているので本論では取り上げないことをあらかじめお断りしておきたい。

それでは高橋が提出した新たな根元的な靖国批判とはどのようなものであろうか。以下、高橋の論理を辿っていきたい。

高橋は靖国神社の本質とは「大日本帝国の支柱」であったとし、「当時の日本人の生と死そのものの意味を吸収し尽くす機能を持っていた点に」こそ、その本質があるとする。すなわち「『お国のために死ぬこと』や『お天子様のため』に息子や夫を捧げることを、聖なる行為と信じさせることによって、靖国信仰は当時の日本人の生と死の全体に最終的な意味づけを提供した」とする。そして「人々の生と死に最終的な意味づけを与えようとするものを『宗教』と呼ぶならば、靖国信仰はまさしくそのような意味での『宗教』であり、『国家神道』という概念の内実をどのように規定しようと、それは『お天子様』すなわち『お国』を神とする宗教であって、天皇その人にほかならないとされた国家を神とする宗教であった」とするのである。したがって「『国家教』への『殉教者』が死後みな『神』として祀られる」場こそが靖国神社であったと指摘するのである。

戦争で愛する家族を喪った遺族は当然のことながら辛く、悲しい。この辛く、悲しいという感情をまるで「魂の錬金術」であるかのごとく喜びの感情に転換させる宗教こそが「国家教」であり、その装置が靖国神社であるとするのである。遺族にとって父や息子の死は単なる死ではない。国家のために全てを捧げ尽くした名誉の戦死であり、それゆえに彼らは靖国神社に祀られる神となったのである。そして遺族らは彼らの死を悲しむのではなく喜ぶこととなるのである。「悲しみから喜びへ、不幸から幸福へ。まるで錬金術によるかのように、『遺族感情』が一八〇度逆のものに変わってしまう」効果を持つのが国家教であり、靖国神社である。では、何故、「国家教」や、その国家教の教義を具体化する靖国神社の存在が必要になってくるのであろうか。高橋は述べる。

大日本帝国が天皇の神社・靖国を特権化し、その祭祀によって軍人軍属の戦死者を「英霊」として顕彰し続けたのは、それによって遺族の不満をなだめ、その不満の矛先が決して国家へと向かうことのないようにすると同時に、何よりも軍人軍属の戦死者に最高の栄誉を付与することによって、「君国のために死すること」を願って彼らに続く兵士たちを調達するためであった。

（略）国家は、戦争に動員して死に追いやった兵士たちへの「悲しみ」や「悼（いた）み」によってではなく、次の戦争への準備のために、彼らに続いて「お国のために死ぬこと」を名誉と考え、進んでみずからを犠牲にする兵士の精神を調達するために、戦死者を顕彰するのだ。

（高橋哲哉　前掲書）

それゆえに高橋は次のように結論するのである。

靖国信仰から逃れるためには、必ずしも複雑な論理を必要としないことになる。一言でいえば、悲しいのに嬉しいと言わないこと。それだけで十分なのだ。まずは家族の戦死を、最も自然な感情にしたがって悲しむだけ悲しむこと。十分に悲しむこと。本当は悲しいのに、無理をして喜ぶことをしないこと。悲しさやむなしさやわりきれなさを埋めるために、国家の物語、国家の意味づけを決して受け入れないことである。「喪の作業」を性急に終わらせようとしないこと。とりわけ国家が提供する物語、意味づけによって「喪」の状態を終わらせようとしないこと。このことだけによっても、もはや国家は人々を次の戦争に動員することができなくなるだろう。戦争主体としての

国家は、機能不全をきたすだろう。（高橋哲哉　前掲書）

以上が高橋の提出した新たな靖国批判である。単なる感情論や、違憲論に比べて、確かに論理的、哲学的、さらには本質的に靖国問題を指摘し、批判しているように思われる。

一言でまとめれば、国家が国民を戦争に駆り立てるため、戦死を悲しいものではなく、名誉あるものとし、遺族を喜ばせ、次なる戦争に喜んで国民を動員させるための装置こそが靖国神社である、ということになろう。あるいはさらに踏み込めば、国家が国民を欺き、国家の戦争を可能にしてきたのが、「国家教」たる靖国信仰であるということになろう。

確かに国家のために殉じた人々を祀ることをやめ、彼らを単に国家に欺かれただけの哀れな犠牲者であると断れば、国家は戦争が不可能になる。誰もが軽蔑されるために、自らの尊い生命をなげうって戦うことなどあり得ないからである。靖国神社をなくし、国家が戦死者を祀ることを放棄したとき、日本は危機において立ち上がることは不可能となる。その意味において「祀る国家とは戦う国家なのである」との高橋の指摘それ自体は正しい。

すなわち、高橋は靖国批判を通じて、危機において戦争のできる国家そのものを批判しているということができよう。高橋においては、国家とは国民が命をかけて守るべきものではない。あるいは命をかけて守るに値しない、との国家観がその根底にあるのである。

確かに国家が守るべき価値を持たない存在であるならば、その存亡のために兵士を調達する役割を果たす靖国神社とは、国家の策略による装置と見なすことが可能である。

ここにおいて高橋の靖国批判は、国家とは守るべきか否かの国家観の問題となるのである。

高橋は国家を現在のみのものとしか捉えていない。すなわち国家の垂直面に関する考察が全くなされていない。先述したように国家とは国内に理性的秩序を与える水平的共同体でもあるが、来歴に根ざした帰属意識を与える垂直的共同体でもある。この国家観がすっぽりと抜け落ちているからこそ、高橋の議論は空疎なものとならざるをえないのである。

高橋の靖国批判の問題点は、その歴史を忘却した現在のみの視点から捉えた国家観にあるといえよう。靖国神社は国家が国民を欺くための装置であるとの視点は、垂直的国家観の否定が前提とされている。高橋が理解するごとく国家が生者のみの専有物であれば、確かに靖国神社は国家の戦争動員のための装置であるといえよう。しかしながら、国家とはそもそも過去・現在・未来の国民の共有物であり、個人の生命を超えて守るべき対象である。現在に生きる人間が守ることを放棄することは、そもそも許されないのである。従って、靖国神社とは、単なる戦争動員の装置などではない。危機において、垂直的共同体としての国家を守り抜くために散華された英霊の静まる聖域であり、戦い抜いた英霊を顕彰する場である。

靖国神社において祈るべきは、後に続いて戦争を繰り返すことを祈るのではない。戦争の悲惨さに想いを馳せることでもない。垂直的共同体としての国家を守り抜いて頂いたことに感謝の誠を捧げることである。そして再び国家に危機が迫った際には、立ち上がることを誓う場でもある。高橋の靖国批判に見るように、我々は戦後垂直的共同体としての国家という国家観を失い、さらにはそこに生きる自身であるという歴史哲学を忘却した。

我々が真に取り戻すべき歴史哲学とは、この国家を国家たらしめている垂直的共同体を連ね、束ねるものとしての歴史哲学ではなかろうか。戦後日本人の精神の貧困とはこの歴史哲学を喪失したことに由来してはいないであろうか。物理的な栄華の裏で、精神的には誇るべき祖国を持たぬ流浪の民のごとき生き方をしていたのではなかったろうか。次章からは日本人の歴史哲学の具現者たちを取り上げたい。

第3章

西郷隆盛と日本の近代

一　何かの崩壊としての近代

日本における近代について考えてみたい。

現代における様々な問題のその多くが近代の問題と深く関わる。確かに技術の発展とそれに伴う物質的繁栄は、我々人間の生活を豊かにした。しかし、私にはその根底には、何か貧しさを秘めているように思われる。近代と封建時代との密接な繋がりから、前近代と近代を区別すること自体を無意味と捉える向きがあることも承知している。しかしながら、なお近代の問題にこだわり続けたい。近代と遭遇した前近代人の格闘にこそ現代における最良の思考の手掛かりがあると思われるからである。本章は私なりに近代と前近代の格闘に着目し、そこから浮かび上がってくる日本人の歴史哲学を描くことを目的とするものである。近代との邂逅(かいこう)は日本人にとって大東亜戦争と同様の大事件であったのではなかろうか。

そもそも近代とは何か。

この問いに答えることなくして論を進めることはできない。広辞苑によれば「歴史時代区分の一。広義には近世と同義で、一般には封建制社会のあとをうけた資本主義社会についていう」とある。いかにも辞書的な定義の仕方である。このような定義では事の本質は全く掴めない。まるで時間の推移とともに自然にあるいは必然的に近代化がなされたという印象を受けてしまう。しかしながら、歴史とはそう単純で直線的なものではあるまい。

それでは、近代とは何か。

哲学的には、フランスの哲学者デカルトの「我思う、ゆえに我あり」というコギトの原理をもって近代の萌芽を見る人びとが多い。それに従えば近代とは合理主義を根底に置いた時代であるといえよう。確かに「近代化が行われた」という言葉は、過去の封建的な因習から解放されたとの意味合いにおいて「合理化が行われた」という言葉と同義として使われることがしばしばある。

そして歴史的には、このコギトの原理に基づいたフランス革命と産業革命こそが歴史的に近代の始まりであったとされている。独自の近代観を提出したトゥールミンはその著、『近代とは何か』において、「近代（モダン・エイジ）は一七世紀に始まったこと、また、思想と慣行の様式が中世のそれから近代のそれへと移行したのは、すべての真に知的な探求分野において——物理学ではガリレオ・ガリレイによって、認識論ではルネ・デカルトによって——合理的方法が採用されたことによるのであり、彼らの例は、まもなく政治理論においてトマス・ホッブズによって踏襲されることとなった」との言説が一般的で標準的な近代の説明だとしている。確かにガリレオの切り開いた物理学が採用され、そうして起こった科学革新こそが産業革命であった。また、ホッブズの考案した社会契約論なる政治理論を発展させたルソーの思想こそがフランス革命を導くこととなる。

このように一般には合理主義、個人主義の発見とそれに基づく科学観、政治体制の出現こそが近代の誕生と目されているのである。

ところが、哲学者長谷川三千子はこう主張する。

ふつう西洋近代の出発点というと、デカルトの「我思う、故に我あり」という近代的自我の発見が重要だといわれる。たしかにそれも重要なのですが、「近代」という言葉を混乱させるもととなっているのは、むしろそれに先立って、「経済」の領域で起こっていた、「何かが壊れた」ということ、一つの「崩壊」の出来事だったのではないかと思います。

（西尾幹二『歴史と常識』）

それでは、一体その「何か」とは何なのであろうか。それは従来の規則、秩序の崩壊である。

コロンブスの航海によってアメリカが発見（この言葉には白人、キリスト教徒らしい傲慢さが込められている）されたのは、もはや誰もが知る常識である。長谷川はこれを秩序の崩壊の第一歩と見る。

コロンの第一航海は、このやうな「空間の持つ秩序」と、ほとんど全く無関係な軌跡を描いてゐるのである。これは、彼の航路が「でたらめ」であつたといふのではない。むしろその正反対なので、彼は航海に先立って、念入りに、当時流布してゐた「世界地図」を検討し、計算を重ねた上で、「西回りインディアス行き」の航路をはじき出したのである。彼の航海日記を見ても、カナリア諸島を出たあと、常に正確に針路を西にとることに腐心してをり、これ以上「でたらめ」でない航海はないとさへ言へるほどである。しかし、その「正確な」航路それ自体が、まさに従来の航海を律してゐた、個別的で、地域的で、複雑な「空間それぞれの持つ秩序」を無視したところに成り立つてゐるのである。

（長谷川三千子『正義の喪失』）

コロンブスの航海は従来にないほど「合理的」で「規則正しい」航海であった。だが、合理的であるこの航海は、従来存在した「空間それぞれの持つ秩序」を全く無視する航海であった。

そのような「『空間それぞれの持つ秩序』を無視したところに成り立つてゐる」航海の結果、「発見」されたアメリカ大陸では何が起こったのか。

まずは白人による略奪が行われた。

しかし、この略奪という行為は、別段珍しい行為ではない。これを長谷川は指摘する。「ここに示してゐる数々の出来事は、たしかに、『酷い』出来事ではあるが、決して『異常な』出来事ではない。あへて言へばそれは『牧歌的な暴力』の物語にすぎないのである」。

では、一体どこに「近代」特有の不幸があったのであろうか。

それは、我々の目には一見平和的に見える「生産」と「交換」それ自身に含まれていると長谷川は指摘するのである。

征服者たちは、略奪と同時に新大陸の金銀を直接に採掘、採取し始めた。彼らが従来の採取者たちと異なったのは、彼らにはアメリカ大陸という空間で生き、死んでいくという感覚は無かった、ということである。すなわちヨーロッパ大陸に生きる人々が自らの空間を越えて、「生産」を行ったところに問題があるとするのである。そこで「生産」された金銀が「交換」される際に、それは何らかの暴力を伴うという。

完全に「故郷をはなれて」インディアスの地の内に生きてゆかうとする者にとつては、金銀はいはば、ロビンソン・クルーソーが孤島で手に入れた金貨のごとく無用なものだったに違ひないのである。

しかし、征服者達は金銀を求めてゐた。当時のアステカ人が「がつがつとまるで飢えた豚のように、金を欲しがった」と評したごとく、金銀に飢ゑかつゑてゐた。そして、まさにこの金銀への無限の欲望といふ形に於いて、彼等は、新大陸にのめり込むのと同時に、自らを旧大陸へと縛りつけていたのであった。

（略）新大陸自身にとって、そこに始まった交換は、まさに「以前にはとうてい思いもよらなかった」類のこと——つまり、彼等本来の自由意志にまかせておけば、いつまでも始まらなかったに違ひない出来事だつたのである。彼等自身の社会にとつては、何の必然性もなく、また何ら望み求められるものでもない、その新しい「交換」が、現に、大規模におこつたとしたら、それは必ず、何らかの強制力(ゲヴァルト)によつて始められたと理解するほかはない。

（長谷川三千子 前掲書）

その地域において求められもしなかった交換。

長谷川はこの空間の秩序の破壊の上に成立する「交換」が何らかの「強制力」によって始められたものであると見なしている。そしてその「強制力」とは正しく「暴力」に他ならないのであった。長谷川はこの暴力を単なる暴力とは見なさない。この暴力の本質を人間の大地との切り離しという恐るべき暴力であると見なすのである。

人間と大地との繋がりによってなされるのが「生産」であり、それと対をなすのが「交通」である、と長谷川は説く。さらに、この「生産」と「交通」が正面切ってぶつかりあわぬように空間の秩序、規則は成立していたと続ける。

長谷川は非常に面白い例を挙げる。

トンブクトゥからマリ王国の奥地へと岩塩を運ぶのは、或るきまつた部族（ワンガラ族）であるが、彼らは岩塩をちやうど頭に乗るぐらいの大きさに砕いて、はだしのまま、長蛇の列をなして延々と奥地まで運んでゆく。そして、とある決つた水辺まで運ぶと、それぞれ自分の岩塩に印をつけて一列にならべ、また、もときた道を半日ばかりかけて戻る。すると、そこに別の部族（ロビ族）が船に乗つてやつて来て、それぞれの塩の塊りに見合ふ量の金をかたはらに置き、いつたん退く。そのあとに、ふたたびワンガラ族が現れて、自分の岩塩のかたはらの金の量に満足すればその金をもつて帰り、さらにその後でロビ族がその岩塩をもち帰る。一方、金がそのまま残つてゐるときには、ロビ族の人はそれに金をつけ足すか、又は交換を断念して自分の金を引き揚げる。

（略）ある時、マリ王国の皇帝が、金の生産地の謎を何とかつきとめたいと考へ、だましうちをかけて、ロビ族の一人を捕虜にし、何とか口を割らせようとしたことがあつた。ところがその黒人は、一言も口をきかぬまま、何も食べずに四日たつて死んでしまつた。そしてその後三年間といふものロビ族は交易に応じようとせず、その「不祥事」以来、マリの代々の皇帝は、二度と同じ失態をくりかへすことはなかつたといふ。

（長谷川三千子 前掲書）

ここで明らかにされているのは前近代においては、「生産」と「交通」を分離させるシステムがあったということである。では、なぜ、「生産」と「交通」が分離されなければならなかったのであろうか。

それは単に不合理なシステムであったのではない。「生産」と「交通」が結びつくことによって人間の欲望が、際限なき欲望へと変化してしまうのを防ぐためであったのではなかったか。古人は人間の欲望を、非常に恐れていたからではなかったか。

また、人間が大地とのしっかりとした繋がりを保っていたころ、こんなこともあったという。

白人たちの訪れる前、かのポトシ銀山を発見したインカの王はこれを発掘することを放棄した。何故なら土着の坑夫たちが発掘をやめよという神の声を聞いたからである。近代に生きる我々はこれを無知な野蛮人の迷信と嘲笑する。しかし、この声の聞こえなくなった近代にこそ悲劇が待ちうけていたのではないか。神の声を聞こえぬ他者が生産に関わり、自由な交易を求めた結果こそがポトシ銀山におけるインディオの悲劇であった。これこそがまさに空間の秩序を無視した「生産」と自由な「交易」の結合の恐ろしさを表しているのではあるまいか。

空間の秩序が抑制し続けた人間の欲望を、「自由」の名の下に野放図に解放するところに近代の病理の本質があるのではなかろうか。

二　政治思想における近代

この欲望を抑制するシステムの崩壊を政治思想の面から考察してみよう。

ここではプラトンの政治思想とマキアヴェリの政治思想をレオ・シュトラウスの『政治哲学とは何か』を参考にしながら古代と近代の対比として取り上げてみたい。

プラトンが何よりも重視したのが、政治における「徳」の存在である。プラトンの政治思想と現在の政治思想の決定的な差はこの「徳」の存在の有無にあるともいえよう。

プラトンの政治思想の特徴を彼の政治体制論の中から検討してみたい。

彼はその著『国家』において国家体制の優秀な順に、優秀者支配制、寡頭制、民主制、僭主制を挙げている。

プラトンの説く優秀者支配制とは哲人王政治とも呼ばれるが、その本質は有徳な者による統治である。善のイデアを観照する有徳の哲学者の統治こそが最善の政治体制であるとするのである。

プラトンは優秀者支配制以外の一つ一つの政体についてその欠陥を述べている。順にみていこう。寡頭制とは「金持が支配し、貧乏人は支配にあずかることのできない国制のことだ」（『国家』）と寡頭制の根本を述べ、続けてその欠点を問う。「貧乏な者には、たとえその人が舵を取る技術に（国を統治するのに、他の金持よりも）もっと秀でた人であっても、決して船の舵を任せないとしたらどうなるか」と問いかけるのである。もちろんそのような事態になれば国民は本来ならば享受することのできる幸福を享受できなくなる。更にいえば、敵国との戦争などを回避できる有能な人材を無視し、無能な人間が国家を舵取りし続けたために国民が塗炭の苦しみを味わうことすら予見できよう。

そして更に寡頭制の弊害についてプラトンは指摘する。

「このような（寡頭制の）国家はどうしても一つの国ではなく、二つの国であらざるをえないということだ。つまり、一方は貧乏な人々の国、他方は金持の人々の国であって、ともに同じところに住み、たえずお互いに対して策謀し合っている」。そして「ちょっとした外からの要因が加わると、それがきっかけで病気になって内部抗争を起し、またときには、そういう外からの要因がなくても内乱がはじまるのではないだろうか」とまで指摘するのである。

次に現代人が最善と考える民主制についても指摘している。「この国制を最も美しい国制であると判定する人々も、さぞ多いことだろう」としながらも、彼は民主制の陥穽を指摘するのである。彼は民主制が最善と規定するものが「自由」であり、この「自由」こそが民主制を崩壊させるに至ると述べるのである。民主制においてはどのような状況に陥るかを予見する。

先生は生徒を恐れて御機嫌をとり、生徒は先生を軽蔑し、個人的な養育掛りの者に対しても同様の態度をとる。一般に、若者たちは年長者と対等に振舞って、言葉においても行為においても年長者と張り合い、他方、年長者たちは若者たちに自分を合わせて、面白くない人間だとか権威主義者だとか思われないために、若者たちを真似て機知や冗談でいっぱいの人間となる。

（プラトン　前掲書）

このような放縦状態に陥った後に最悪の体制である僭主制が誕生すると述べるのである。自由な状況は必ずや放縦に陥り、そのとき僭主制を招来する。僭主制への橋渡しでしかないという理由で民主制は否定されるのである。

では僭主制とは何か。これは我々には聞きなれない言葉だが、その本質は無徳の者による専制にある。現代風にいえば「独裁」という言葉が最も相応しい体制のことである。独裁の惨禍はヒトラー統治下のナチス・ドイツやスターリン統治下のソ連を想起するだけで、その記憶が生々しく甦ってくる。罪無く史上稀に見る狂気の大虐殺に斃れていったユダヤ人や、自由を守るため共産主義に戦いを挑み、空しく亡くなっていった愛国者の無念を思い起こすだけで、この体制の野蛮さは明らかであろう。

民主制についてのプラトンの警鐘は、二〇世紀、ドイツにおけるワイマール体制からヒトラーの出現に至る経緯を思い起こしたとき、その正鵠（せいこく）を射た指摘に慄然（りつぜん）とせざるをえない。徳を志向することを放棄する危険を改めて気付かされる。

では、いつからこの「徳」を最重要視するプラトンに代表される古典的政治哲学が変化したのであろうか。

これに対しシュトラウスは「近代政治哲学の創始者はマキアヴェリである。彼は、政治哲学の伝統全体と関係を断とうと努力し、そしてそれを成し遂げた」(Leo Strauss, WHAT IS POLITICAL PHILOSOPHY? The University of Chicago Press)と指摘する。

「(マキアヴェリの考えによれば) ユートピアを描き出すこと、つまり、現実化されることなど絶対にありえないような、最善の体制を記述することをもって事足れりとする政治学的アプローチには何か根本的な誤りが存するということである。そこで我々(近代人)は、(プラトンのように)徳によって、つまり、一つの社会が選択する最高の目的によって、我々の方向を見定めることは止めることにしよう。そして、これからは、あらゆる社会によって実際に追求されている目的によって、我々の方向を見定めることにしよう」というのがマキアヴェリの主張であるとする。つまり、プラトンの哲人王のごとく実現不可能な目標を立てることをやめ、現実社会において追求されている目的を目標とせよと主張するのである。

シュトラウスによれば社会の目的を古代の「徳」から転化させたところにマキアヴェリの最大の特徴がある。

マキアヴェリは、戦争によって混乱する祖国の惨状を嘆き、「徳」による統治というあまりに高い目標を諦める。そして実現することが可能であるような目標へと転化させることによってその目標の実現を願うのである。

シュトラウスは指摘する。

マキアヴェリは、意識的に、社会的行為の基準を低めるのである。このように基準を低めることによって、彼は、この低められた基準にしたがって構想される計画が実現される可能性を、より一層高くしようとするのである。

(Strauss　前掲書)

そのためにマキアヴェリは、「徳」の見地からは導き出されない言説を遺している。

君主が信義を守り狡猾に立ちまわらずに言行一致を宗とするならば、いかに賛えられるべきか、それぐらいのことは誰にでもわかる。だがしかし、経験によって私たちの世に見てきたのは、偉業を成し遂げた君主が、信義などほとんど考えにも入れないで、人間たちの頭脳を狡猾に欺くすべを知る者たちであったことである。そして結局、彼らが誠意を宗とした者たちに立ち優ったのであった。

成功をおさめてきた君主とは、「信義を守り狡猾に立ちまわらずに言行一致を宗とする」君主ではなかった。「信義などほとんど考えにも入れないで、人間たちの頭脳を狡猾に欺くすべを知る者たちであった」という。

（マキアヴェリ『君主論』）

これは「徳」を重視する古代政治哲学者の言説を完全に離れたマキアヴェリの立場を明確に示しているように思われる。前近代においても政治家はマキアヴェリの説くような狡猾な君主の役割を実践したのかもしれない。だが、こうした言説が臆面もなく語られているところにこそ、思想上の「近代」を見出せよう。

ではマキアヴェリ以降、徳に代わって出現した社会の目標とは何であろうか。それこそが「自由」に他ならないのである。

シュトラウスはこれを最も印象的に明示したものとして、マキアヴェリが創始した近代政治哲学の後継者モンテスキューの『法の精神』を挙げる。

『法の精神』は、あたかも、二つの社会的あるいは政治的理念の不断の戦い、解決することなき抗争の記録に他ならない、というふうに読むことができる。すなわち、徳をその原理とするローマの共和国と、政治的自由をその原理とする英国という、二つの社会的・政治的理念の不断の戦い、解決することなき抗争の記録に他ならないのである。

（Strauss　前掲書）

三権分立を主張した人物として知られるモンテスキューの『法の精神』にシュトラウスは独特な解釈をほどこす。彼によれば『法の精神』とは「徳をその原理とするローマの共和国」と「政治的自由をその原理とする英国」の不断の戦いであり解決することなき抗争の記録であるとするのである。そしてモンテスキューは政治的「自由」を基盤とするイギリスの勝利を認めるのである。

彼（モンテスキュー）の見解において英国が優れているのは、イギリス人が、厳格で共和主義的なローマ人の徳に代わるものを発見した、という事実に基づいている。その徳に代わる代替物というのが、交易と財務なのである。

モンテスキューの指摘によれば、ローマ人の「徳」に代わる「交易」と「財務」を発見したイギリスのほうが優れているという。

ここにおいて我々は先に見たような欲望を抑圧するシステムの崩壊を政治思想において見出したといえよう。すなわち「徳」から「自由」への転換である。

自由な交易のためには、生産技術が政治的道徳的規制から解放されている必要がある。何故なら、一度生産が何らかの形で規制されれば、もはやそれは「自由」ではないからである。だが、シュトラウスはこの自由な交易のための生産技術の解放こそが、古代政治哲学者が最も忌んだものであるとして次のように述べる。

（Strauss　前掲書）

彼ら（古代政治哲学者）が暗に示唆していた、生産技術や技法の道徳的規制からの解放は、人間に不幸をもたらす、あるいは人間性喪失をもたらすという予言は、未だ論駁されてはいないのである。

（Strauss　前掲書）

徳の政治を放棄し、自由の政治を目指した結果として表れ出てくるのが、生産技術の政治的道徳的規制からの解放であり、自由な交易である。これが幸福をもたらすのみとは限らない。むしろ「人間に不幸をもたらす」ことや「人間性喪失をもたらす」ことを古代政治哲学者は危惧していたのである。そしてここにこそ近代の悲劇を見ることができるように思われる。政治思想の側面から分析すれば、この徳から自由への目的の転換こそが近代の誕生であったといえよう。

三　有徳の文明——横井小楠、西郷隆盛

自由をその根底に置く「近代」は世界中をその傘下に収めていった。そしてもちろん日本とてその例外ではなかった。

日本の「近代」との邂逅（かいこう）は黒船の襲来によって始まる。つまり自由な通商を求め、その要求が通らねば暴力によって通商を開始させようとする、以前には到底想定できなかった異常な強制力によって日本は否応なしに近代へと突入させられていったのである。

明治維新という「近代化」の成功により日本は独立を保たれた。諸外国の近代との邂逅

の仕方、その後の歴史を眺めれば最善とも呼びうる形の近代化であったのかもしれない。

　そこには明治維新の志士たちの自らの生死を省みない尽忠報国の精神と獅子奮迅の働きがあったことは疑わない。だが、それでもなおこの近代化は問われねばならぬものであるように思われる。昨今の拝金主義の横行やあらゆる側面における秩序の崩壊は、豊かな人間性を喪ったとしか形容のできぬ出来事であろう。そしてその人間性喪失の根本にはこの「近代」の問題が横たわっているように思われるのである。

　そのように考えると、近代とはなお対峙されねばならぬアポリアではあるまいか。本章は「近代」との邂逅の中であくまで近代と対峙せんとし続けた英雄として西郷隆盛を捉え直すところに目的がある。

　本章では「近代」がいかにして日本人に受容されるようになったかを「文明」という言葉の変遷を辿りながら検討してみたい。なぜなら、「文明」の言葉の正しい理解なしに、近代の本質は見えてこないからである。

　まず確認しておかねばならないのは江戸時代までの人々の文明観である。坂本多加雄は当時の文明観を指摘する。

そもそも「文明」とは何であったか。「文明」とは、言うまでもなく、本来はcivilization（シビリゼーション）のことではない。それは中国の文物、とりわけ歴代の中国の王朝が統治の理論として採用した儒教文化が、普及している状態を指す言葉であった。しかも、こうした「文明」という言葉によって表現される世界においては、中国が「文明」の光輝く中心である「中華」としての位置を占め、その外に、いわゆる「朝貢」を通してこの「中華」の「文明」に浴しえた諸国が存在し、さらにその外部に、完全に「文明」から取り残された「野蛮」な地域が存在するとされ、全体としてヒエラルヒッシュな「華夷」の秩序が存在するとされていたのである。その際注目すべきは、政治理論としての儒教は、「徳」による統治としての「王道」と単なる「力」による支配に過ぎない「覇道」とを厳格に区別していたことからも明らかなように、統治を、何よりも道徳的な「教化」として把握するものであった。そして、その関連で、力の裏付けを必要とする「法」も、「徳」に比して低い評価しか与えられていなかった。いわゆる「法治」に対する「徳治」の優位である。すなわち、「文明」とは、このような「徳」の理念を基礎とし、その中心的な模範としての「中華」を仰ぐところの一つの秩序だったのである。

（坂本多加雄『日本は自らの来歴を語りうるか』）

つまり「徳」に基づいた政治が行われる国家を「文明」の光り輝く「中華」とし、その外部に野蛮な地域が存在するとする考え方である。そしてこの際に重要になるのが力による支配は「覇道」と称され、文明国家たる中華が行う「王道」とは厳密に区別されていたのである。それゆえ「『文明』とは、このような『徳』の理念を基礎とし、その中心的な模範としての『中華』を仰ぐところの一つの秩序」として捉えられていたのである。

この文明観を念頭において、まずは横井小楠の文明観の変遷を辿ってみよう。勝海舟によって西郷隆盛と並び称された横井小楠の西洋近代に対する態度は非常に興味深い。当時の文明観に基づいて思考した小楠は当初徹底した攘夷論者であった。西洋との交流を断固として拒み続けることを主張したのである。但し、ここで確認しておかねばならないのは、現在イメージされているような攘夷とは異なって外国一切を受容しないという考え方ではないということである。

小楠の言葉に耳を傾けてみよう。

凡（およそ）我国の外に処するの国是たるや、有道の国は通信を許し無道の国は拒絶するの二ツ也。有道無道を分たず一切拒絶するは、天地公共の実理に暗して、遂に信義を万国に失ふに至るもの必然の理也。

（山崎正董編『横井小楠遺稿』）

（現代語訳）

概して我国の外交方針は、有道の国とは国交を持ち、無道の国とは国交を持たないというものである。その国に徳が備わっているか否かを考慮しないで国交を一切拒絶するのは、ものごとの道理に悖（もと）る行為であり、かならずや万国に信義を失うであろう。

まず小楠は世界の国々を徳を有する「有道の国」と徳なき「無道の国」の二つに分類する。そしてその中で有道の国との交流のみを主張する。一切の外国を拒絶するかのごとき言説に対しては「天地公共の実理（物事の道理）」に背くものであって、「信義を万国に失ふに至る」暴論であると主張するのである。開国自体を拒絶するのではなく、開国する相手を取捨選択するという考え方は、無制限な「生産」と「交易」の合致を防いできた思想とみることも可能であろう。

小楠の聞き及ぶところによれば西洋とは「無道」の国であった。従ってそのような文明国とは呼べぬ野蛮な国との交際は禁ずるべきであると述べるのである。

この小楠が後に攘夷論者から開国論者へと変化する。西洋を研究した小楠は日本以上に西洋の国々が有徳の国家であると結論するにいたったがゆえに、この思想的転向は行われたのである。ここでの小楠の転向はさほどに驚くに値するものではない。知識の増大に伴ってある対象への評価が変化することは、智に誠実たらんとする人々の間においては往々にして起こりうることだからである。ここで重要なことは、小楠は決して古くからの文明観を捨て去ったわけではなく、むしろそれに積極的に依拠した上での開国論を提唱していたところにある。

小楠が友人に贈った漢詩の一節がある。

> 君聞かずや洋夷各国治術明らかなるを。励精して能く通ず上下の情。人才を公撰して俊傑挙がる。事有れば衆に詢りて国論平らかなり。薄く税斂を征して民貧しからず。厚く銭糧を貯えて勁兵を養う。緑眼紅毛幾ど禽獣。尚人心有りて盛名を得。（原文漢文）
>
> （山崎正董編 前掲書）

（現代語訳）

君は知らないのか。西洋諸国の統治法が道理にかなっているのを。励精して上下の意思疎通がうまくいっていることを。門地ではなく才能によって役人を決定することを。事件が起これば民衆が一致団結し、国論が分裂することはない。軽い税で民衆は飢えに苦しんでいない。国は富み、軍隊は強兵ぞろいである。緑眼紅毛でほとんど禽獣のようではあるが、そうは言っても思いやりがあり立派な評判を得ているのである。

すなわち西洋とは彼が思い込んでいたような道無き野蛮な国々ではなかった。国は富み、有能な人間が事に当たる。もしもいったん何らかの事件が起これば民衆が一致団結してこれに当たり国内が分裂することはない。税は安く兵は強い。彼はそのような有徳の文明国として西洋の国々を捉え直したのである。それゆえ国を開き彼らと交わるべきであると説いたのである。

また、有徳、無徳は普遍の概念であり、自国や他国で異なることはないとする小楠の文化概念も見逃してはなるまい。

道は天地の道なり、我国の外国のと云事はない。道の有所は外夷といへ共中国なり。無道に成ならば、我国・支那と云へ共即ち夷なり。初より中国と云、夷と云事ではない。国学者流の見識は大にくるいたり。終に支那と我国とは愚な国に成たり。西洋には大に劣れり。

（山崎正董編『横井小楠伝』上）

（現代語訳）

道とは天地の道理のことである。道が我国のもの、あるいは外国のものということはない。道の有するところは、外夷であっても「中国」なのである。無道であるならば、我国・支那といえども、夷なのである。「中国」や夷というものは、はじめから定まっているということはなく、国学者流の見識は誤謬である。はたしてついに、支那と我国は愚国になってしまった。両国は西洋から大いに劣れる存在となったのである。

ここで最初に注意しなければならないのは「中国」との語である。現在では「中国」とは中華人民共和国を指す語として使われる。しかし、当時の「中国」は文明の輝く中華をさす言葉であり、特定の国を指し示す言葉ではなかったのである。

小楠は説く。今まで日本人は日本や支那を有徳の「中国」であると考えてきたが、これは何も無条件で「中国」であるわけではなく、無道になれば「夷」と呼ばれるようになる。道（徳）とは世界共通の概念である。今、西洋と比較すると日本や支那は西洋に遥かに劣る無道の夷の国家と呼ばれる状況に陥ってしまった。そこで今日本に求められているのは有道の国、西洋との交流であり、西洋に学ばねばならないとするのが小楠の開国論である。

これは過去から連綿と続く古来の文明観に基づいた開国論と評せよう。あくまで有道の国には門戸を開き、無道の国には門戸を閉ざすという古くからの原則を守った上での開国論なのである。

しかしながら、これは重大な事実誤認の上に成り立った見解であった。すなわち西洋とは有道の国ではなかったのである。暴力によって交易を強制し、空間の秩序を破壊しながら他国の富を根本から収奪する彼らの姿は、まさに無道の国民の姿そのものであった。

これについて実に鋭く指摘していたのが西郷隆盛であった。

予嘗て或人と議論せしこと有り、西洋は野蛮ぢやと云ひしかば、否な文明ぞと争ふ。否な否な野蛮ぢやと畳みかけしに、何とて夫れ程に申すにやと推せしゆゑ、実に文明ならば、未開の国に対しなば、慈愛を本とし、懇々説諭して開明に導く可きに、左は無くして未開蒙昧の国に対する程むごく残忍の事を致し己れを利するは野蛮ぢやと申せしかば、其人口を莟(つぼ)めて言無かりきとて笑はれける。

（山田済斎編『西郷南洲遺訓』）

（現代語訳）

私は、かつてある人と議論をしたことがある。私が西洋は野蛮であることを主張すると、その人はいいや文明国だと主張し議論になった。私が再度西洋は野蛮であることを畳みかけて言ったところ、その人はどうしてそれほどにまで西洋を野蛮というのかと私に尋ねてきた。私が本当の文明国であるならば、未開の国に対しては慈愛の心をもって接し、懇ろに説き諭して文明化に導くべきであるのに、未開蒙昧の国であればあるほど残忍な仕方で接し、己を利してきた西洋は野蛮であると言った。すると、その人は口をつぼめて何も言い返すことができないと苦笑していた。

ここで西郷が西洋を野蛮であると断ずるのは、彼がかねてよりの日本の文明観に基づいて議論をしているからに他ならない。西洋人は力を持ちながら、未開の国に対して残忍な仕方で接する。西郷は本当に「文明国」であるならば、未開の国を文明化に導くべきであるというのである。西郷は文明について明確に定義を為している。

文明とは道の普く行はるるを賛称せる言にして、宮室の荘厳、衣服の美麗、外観の浮華を言ふには非ず。

（山田済斎編 前掲書）

（現代語訳）

文明とは道理がすべてにわたって行われることを賞賛する言葉であって、宮室の荘厳、衣服の美麗、外観の浮華を言うのではない。

ここで西郷が明らかにしているのは、文明とは有道の国を指す言葉であり、国富や外観においてはかることのできるものではないという、かねてよりの文明観である。ここでの西郷の発言は、横井小楠においても当然そうあった文明観を表明しているのみであり、別段奇抜な文明観を述べているわけではない。ただ、小楠が見落としていた西洋の残虐性に眼を向け、古くからの文明観を以って野蛮と断じているのである。

小楠が西洋近代を文明と見なし、西郷がそれを非文明と見なしたことは、結果として両者が正に反対のことを述べているといえよう。しかし、彼らの文明を測る基準それ自体は、有徳すなわち文明という共通の文明観に他ならないのである。

この文明観に基づくならば、西郷が指摘するように明らかに西洋とは野蛮な非文明国であった。そしてこの文明観に基づいていた限り日本が近代化の道を歩むことは困難であったはずである。自国を野蛮国家とするための改悪に邁進することなどできはしないからである。

四　無徳の文明――福沢諭吉

この文明観そのものを大逆転し、日本の近代化を推進したこととなったのが福沢諭吉である。福沢は述べる。

　今の亜米利加は元と誰の国なるや。其国の主人たる「インヂヤン」は、白人のために逐はれて、主客処を異にしたるに非ずや。故に今の亜米利加の文明は白人の文明なり、亜米利加の文明と云ふ可らず。此他東洋の国々及び大洋州諸島の有様は如何ん、欧人の触るゝ処にてよく其本国の権義と利益とを全ふして真の独立を保つものありや。「ペルシャ」は如何ん、印度(いんど)は如何ん、暹邏(しゃむ)は如何ん、呂宋爪哇(るそんじゃわ)は如何ん。「サンドウヰチ」島は千七百七十八年英の「カピタン・コック」の発見せし所にて、其開化は近傍の諸島に比して最も速なるものと称せり。然るに発見のときに人口三、四十万なりしもの、千八百二十三年に至て僅に十四万口を残したりと云ふ。(略)其開化と称するものは何事なるや。唯此島の野民が人肉を喰の悪事を止め、よく白人の奴隷に適したるを指して云ふのみ。(略)欧人の触るゝ所は恰(あたか)も土地の生力を絶ち、草も木も其成長を遂ること能はず。甚しきは其人種(ひとだね)を殲(つく)すに至るものあり。是等の事跡を明にして、我日本も東洋の一国たるを知らば、假令ひ今日に至るまで外国交際に付き甚しき害を蒙たることなきも、後日の禍は恐れざる可らず。

（福沢諭吉『文明論之概略』）

（現代語訳）

今のアメリカはもともと誰の国であったのか。アメリカの主人であった「インディアン」は、白人のために国を追われて、主客が逆転したのである。そのため今のアメリカの文明といえば、白人の文明である。アメリカの文明と簡単にはいえまい。また、東洋諸国及び太平洋諸島の有様はどうであろうか。西洋と接触を持った国の中で、その国の権利と義務を十全に持って真の独立を保っている国はあるのであろうか。ペルシャはどうか。インドはどうか。シャムはどうか。フィリピンやインドネシアはどうか。「サンドイッチ島」は一七七八年イギリスの「カピタン・コック」（ジェームス・クック）が発見した島であり、その島の文明化は近隣の島に比べて最も速かったといわれている。しかしながら、発見時に三十、四十万人いた人口が、四十五年経った一八二三年には僅かに十四万を数えるのみとなったという。（略）いったい文明化とは何なのであろうか。ただ、この島の先住民が人肉を喰らうという蛮行を止めさせ、白人に従順な奴隷に教化したことを意味するだけである。（略）西洋と接触したところは、ほとんどすべて土地が生力を絶たれ、草木は生長できなくなった。ひどいところでは、先住民を殲滅するところまでにいたった。こうした事跡が明らかになった今、我が日本も殲滅の対象である東洋の一国であるということを知ったのなら、今日に至るまで外国との交際を通じて甚だしい害を蒙っていないとしても、後の禍は恐ろしいものである。

ここで福沢はアメリカのインディアンに対する仕打ち、アジアにおける白人の恐るべき収奪に目を向けている。「欧人の触るゝ処にてよく其の本国の権義と利益とを全ふして真の独立を保つものありや」と問い、「欧人の触るゝ所は恰も土地の生力を絶ち、草も木も其成長を遂ること能はず。甚しきは其人種を殲すに至るものあり」と答えるのである。

福沢は西洋諸国の為した悪逆非道の行為をしっかりと見据えている。そしてこれこそがまさに西郷が非文明と断じたその論拠そのものである。

ところがこの事実を認識しながらも福沢は西洋諸国を文明と見なす。

今世界の文明を論ずるに、欧羅巴諸国並に亜米利加の合衆国を以て最上の文明国と為し、土耳古、支那、日本等、亜細亜の諸国を以て半開の国と称し、阿非利加及び墺太利亜等を目して野蛮の国と云ひ、此名称を以て世界の通論となし、西洋諸国の人民独り自から文明を誇るのみならず、彼の半開野蛮の人民も、自から此名称の誣ひざるに服し、自から半開野蛮の名に安じて、敢て自国の有様を誇り西洋諸国の右に出ると思ふ者なし。啻にこれを思はざるのみならず、稍や事物の理を知る者は、其理を知ること愈深きに従ひ、愈自国の有様を明にし、愈これを明にするに従ひ、愈西洋諸国の及ぶ可らざるを悟り、これを患ひ、これを悲しみ、(略)亜細亜諸国に於て識者終身の憂は唯此一事に在るが如し。(略)然ば則ち彼の文明半開野蛮の名称は、世界の通論にして世界人民の許す所なり。

(福沢諭吉 前掲書)

(現代語訳)

今の世界の文明を論ずると、ヨーロッパ並びにアメリカ合衆国が最上の文明国とされている。トルコ、支那、日本等、アジアの諸国を半開の国と称し、アフリカ及びオーストラリアを野蛮の国と呼ぶ。この位置づけは世界の通論となっており、西洋諸国の人民が独り自らの文明を誇っているのみならず、半開、野蛮とされた国々の人民も、自らこの位置づけが事実であることを認め、自ら半開、野蛮の名に安んじて、自国を誇り西洋よりも優れていると考える者はいない。自国は西洋よりも劣っていると思うばかりか、少しばかり国際情勢に明るい者は、深い認識を有するに従って、また自国の様子を明らかにし、自国を啓蒙するに従って、ますます西洋諸国との絶望的な差を思い知らされ、これを患い、悲しむ。(略)これこそがアジア諸国の識者終身の憂なのである。(略)そうであるならば、あの文明、半開、野蛮の位置づけは世界の通論にして、すべての人民が認めることである。

ここで福沢はヨーロッパ、アメリカを文明国とし、トルコ、支那、日本などが半開の国であり、アフリカ、オーストラリアなどが野蛮の国であると区別するのが通念であるとする。そして半開・野蛮の国の有識者は、その国の現状、文明国である西洋の状況を知れば知るほど、西洋に及ばざることを悔いているとするのである。

これはすなわち福沢においては西郷隆盛、横井小楠に共通していた古くからのあの文明観そのものがすっぽりと抜け落ちてしまっていることを意味している。これを受けて坂本は指摘する。

> 「文明」という観念を完全に儒教的文脈から切り離し、専ら civilization として理解し、その普及を図ったのが福沢諭吉であった。福沢にとって「文明」とは「徳」とは区別された「智」の発達によってもたらされ、「気転活発去就自由（きてんかっぱつきょしゅうじゆう）」といった、人々の旺盛な活動力が展開される状態を意味していた。
>
> （坂本多加雄　前掲書）

すなわち、福沢にあっては「文明」とは徳の有無にかかわらず、智の発達によってもたらされる「人々の旺盛な活動力が展開される状態」であるというのである。

ここに日本政治思想史上の近代が芽生えたといっては過言であろうか。シュトラウスが指摘したような政治に於ける目的が、「徳」から「自由」へと転換するあの政治思想上の大転換が行われていたのではなかろうか。

福沢は従来の文明観を無視し、西洋の文明観そのものを普遍的な文明観と見なした。それゆえにこの大転換が行われたのである。この福沢によって為された文明観の一大転換が、その後の日本の針路を定めたといえよう。明治政府を動かした大久保利通をはじめとする多くの指導者がこの福沢の文明にその思索の論拠を求めたのである。

だが、一人この文明観に反対し続けたのが西郷隆盛である。

では、何故西郷はこの文明観の一大転換に反対し続けたのか。その理由を求めるには、この福沢が為した一大転換に潜む精神構造、それ自体を眺めてみなければならない。

五　文明の大逆転と「からごころ」

この一大転換をなさしめた福沢に見るような精神構造それ自体を「からごころ」と称し日本人の問題として考察を深めたのが本居宣長である。彼はこの「からごころ」を非常におぞましきものとして認識していた。

「からごころ」とはいったい何ものであろうか。

少し長いが本居の声に耳を傾けてみよう。

漢意(からごころ)とは、漢国のふりを好み、かの国をたふとぶのみをいふにあらず、大かた世の人の、万の事の善悪是非(よしあしき)を論ひ(あげつらひ)、物の理をさだめいふたぐひ、すべてみな漢籍(からぶみ)の趣なるをいふ也、さるはからぶみをよみたる人のみ、然るにはあらず、書といふ物一つも見たることなき者までも、同じこと也、そもからぶみをよまぬ人は、さる心にはあるまじきわざなれども、何わざも漢国をよしとして、かれをまねぶ世のならひ、千年にもあまりぬれば、おのづからその意(こころ)世中にゆきわたりて、人の心の底にそみつきて、つねの地となれる故に、我はからごゝろもたらずと思ひ、これはから意にあらず、当然理(しかあるべきことわり)也と思ふことも、なほ漢意をはなれがたきならひぞかし、そも〳〵人の心は、皇国も外つ国も、ことなることなく、善悪是非に二つなければ、別(こと)に漢意といふこと、あるべくもあらずと思ふは、一わたりさることのやうなれど、然思ふもやがてからごゝろなれば、とにかくに此意は、のぞこりがたき物になむ有ける、人の心の、いづれの国もことなることなきは、本のまごゝろこそあれ、からぶみにいへるおもむきは、皆かの国人のこちたきさかしら心もて、いつはりかざりたる事のみ多ければ、真心にあらず、かれが是とする事、実の是にはあらず、非とすることもまことの非にあらざるたぐひもおほかれば、善悪是非を二つなしともいふべからず、又当然之理とおもひとりたるすぢも、漢意の当然之理にこそあれ、実の当然之理にはあらざること多し、大かたこれらの事、古き書の趣をよくえて、漢意といふ物をさとりぬれば、おのづからいとよく分かるゝを、おしなべて世の人の心の地、みなから意なるがゆゑに、それをはなれて、さとることの、いとかたきぞかし

（本居宣長『玉勝間』）

（現代語訳）

漢意とは、漢国の文化を好み、かの国を尊ぶだけをいうのではない。おおかたの人々が様々なことの善悪是非を論ったり、物事の道理を口にしたりする際に、漢国の儒学書の趣旨を踏まえていることをいうのである。そのようなことは何も儒学書を読む儒学者にのみ起こるものではない。書物とはおよそ縁のないような人までもがそうなのである。そもそも儒学書を読まない人が、そうした心を持つはずはない。しかし、どんなことでさえも漢国を手本として、かの国のまねをし続けてきた世の風潮が、千年あまりにも及んでいるので、自然と漢意が世に浸透し、人々の心に深く染みついて、それが常態となってしまっているのである。そのために、私は漢意を持っていないと思い、これは漢

意ではなく当然の道理ではないかと思うことも、依然として漢意から逃れられていないのである。さて、人の心には、皇国も外国も同じであり、善悪是非に違いがないので、取り立てて漢意というものがあるはずがないと思うのも、もっともなことのようだが、そのように思うのもほかでもない漢意のせいなのである。とにかくもこの漢意というものは、取り除きがたきものである。いずれの国も異なっていない人の心とは、人間本性の偽りなき真実の心、まごころである。漢国の文献から感ぜられる趣旨は、すべて漢国の人々のおおげさでずる賢い心のためであり、偽り飾ったことが多いので、まごころを語るものではない。それが是とするものは、まことの是ではなく、非とするところも、まことの非ではないことが多いので、善悪是非が二つもないということはできないのである。また当然の道理と思ったことも、漢意ではそうであっても、まことの道理でないことが多い。およそこれらのことは、日本の古い書物の趣旨を正確に捉え、漢意というものを悟った人間には自然と良く分かることである。しかし、総じて世の人の心根には、みな漢意が深く染みついているので、この呪縛から逃れて当然の道理を悟ることがどんなに難しいことだろう。

ここで本居が嘆じているのは、漢文に親しみ、漢詩を作り悦にいるようなあからさまの中国かぶれのことではない。自分自身では、まさに普遍的だと信じている考え方をしているにもかかわらず、中国的な思考を無意識にしている人々のことを嘆じているのである。これは、まさに文化的な倒錯であり、文化的侵略を受けているとさえいうことができよう。無意識のうちに対象を普遍化し、それを信仰するといった普遍信仰こそに本当の禍根があるといえる。

長谷川三千子は「元来が『これは人類普遍の原理である』といふ言ひ方は、或る一つの文化が他の文化に、自分達のものの見方を押しつけようとするときの決り文句であるが、それを日本人達は疑はぬばかりか、自らの言葉として繰り返してゐる。これこそが『漢意』といふ名の文化的倒錯の構造である、と宣長は見抜いてゐるのである」(『からごころ』)と語り、本居の苦悩を描きだす。

自らの依つて立つ所を見極め、彼の依つて立つ所を見極めること。それさへ出来れば、或る一つの文化の産物に過ぎないものを、人類普遍の原理と思ひ誤ることもなく、また他人の文化と自らの文化を取り違へるやうな倒錯もなくなる筈である。ところがさうはゆかないところに日本文化の独特の事情があり、又、宣長の悩みもある。

（長谷川三千子『からごころ』）

自らの依って立つところ、他の文化の依って立つところを見極めさえすれば、ある文化を普遍的だなどと思わなくなるはずだが、それができないところに日本文化の事情があるのだ。

このように本居に嘆じられていたのがからごころである。しかし、この日本人、日本文化の難点と見なされていたからごころこそが、他ならぬ日本人、日本文化を救うことになったのである。

その代表的な例が、「訓読」「仮字」の発明である。

一見なにげなく使っている訓読ではあるが、これは大変な発明であった。

よくよく考えてみれば、漢字の輸入とは、日本人——特に知的エリート——にとっては衝撃的な事件であったに違いない。もしも漢字を中国語としてそのまま受け入れていたら、いったいどのような事態になったことであろうか。

長谷川は述べる。

ごく自然に、「漢籍」を中国語として受け入れた結果は、一つの重大な問題を生じる。すなはち、それは一国の内に「もう一つの言語」を許し容れることとなり、それによってその国が二重言語国家(バイリンガル)となつてしまふ、といふ問題である。それも、ただ、甲の言語を話す民族と乙の言語を話す民族が寄り集つて出来上つたといふ、平等の二重言語国家ではない。書字を持つ言語とさうでない言語とが一国の内に共存すれば、国を動かし治めるのに使はれるやうになるのは、当然書字をもつ言語の方であつて、其処に住むほとんどの人々にとつては「外国語」でしかない言語が、その国の中枢を握るといふことになってしまふのである。

(長谷川三千子 前掲書)

もしも漢字が中国語として輸入されたらどうなるか。国内では中国語と日本語が併存する二重言語国家となる。そして政治に用いられるのは「字」を持った中国語であり、「字」を持たざる日本語は劣位におかれる。こうして外国語が国家の中枢を握る自体が発生するのである。

さらに、長谷川は指摘する。

漢字漢文を徹底的に拒絶する、といふやうなことが仮りに出来たとしても、それは一層惨めな結果を招くだけであつたに違ひない。当時、中国から四方八方へ流れ出していつた漢字漢文といふものは、「異言語による支配」といふ恐しい危険をはらんでゐるのと同時に、一方では、豊かな情報と、人々の脳髄の働きを活発にさせる、新しい刺激とに満ちたものでもあつた。

（長谷川三千子 前掲書）

すなわち「異言語による支配」を恐れて漢字の輸入そのものを拒絶することは、さらに悲劇であったはずである。何故なら、漢字は恐ろしいばかりでなく、やはり十分な刺激と魅力に満ちたものであったからである。

ところが、日本人はこの危険かつ魅力的な漢字の輸入を本当に鮮やかにやってのけたのであった。それこそが「訓読」の発明であり、「仮名」の発明であった。つまり「我々の祖先は、漢文の内から『異言語の支配』といふ危険な要素を取り除くことに成功した」のである。

日本人は「訓読」「仮名」を発明することによって漢字を中国語ではなく、日本語として用いることに成功したのである。世界史上まれな異言語摂取の仕方であろう。まことに鮮やかな手法である。

しかし、長谷川は指摘する。


この「鮮かさ」は、同時に、剣の刃の上を渡るやうな「危ふさ」と背中合はせになつてゐる。すなはち、この方法は、ひとたび自分自身の「不自然」に気付いてしまふ途端に、根本から崩れてしまふのである。訓読の成功は、ひとへに、漢文が中国語であることを見ないことにかかつてゐる。ひとたびそれを見てしまつたならば、その認識と闘ひ、それをはねのけはねのけ訓読をつづけてゆく、などといふことは出来るものではない。

（長谷川三千子 前掲書）


つまり、この「訓読」を生み出した心理こそが「からごころ」なのである。

漢字を中国語であるということを完全に無視したところに、この「訓読」と「仮名」の

郵便はがき

100-8077

63円切手を
お貼りください

東京都千代田区大手町1−7−2

産経新聞出版　行

フリガナ お名前	
性別　男・女	年齢　10代　20代　30代　40代　50代　60代　70代　80代以上
ご住所　〒 （TEL.　　　　　　）	
ご職業　1.会社員・公務員・団体職員　2.会社役員　3.アルバイト・パート 4.農工商自営業　5.自由業　6.主婦　7.学生　8.無職 9.その他（　　　　　）	
・定期購読新聞 ・よく読む雑誌	
読みたい本の著者やテーマがありましたら、お書きください	

書名　[新版] 日本人の歴史哲学

このたびは産経新聞出版の出版物をお買い求めいただき、ありがとうございました。今後の参考にするために以下の質問にお答えいただければ幸いです。抽選で図書券をさしあげます。

●本書を何でお知りになりましたか？

□紹介記事や書評を読んで・・・新聞・雑誌・インターネット・テレビ

媒体名(　　　　　　　　　　　　　　　　　)

□宣伝を見て・・・新聞・雑誌・弊社出版案内・その他(　　　　　　)

媒体名(　　　　　　　　　　　　　　　　　)

□知人からのすすめで　□店頭で見て

□インターネットなどの書籍検索を通じて

●お買い求めの動機をおきかせください

□著者のファンだから　□作品のジャンルに興味がある

□装丁がよかった　　　□タイトルがよかった

その他(　　　　　　　　　　　　　　　　　　　　　　)

●購入書店名

●ご意見・ご感想がありましたらお聞かせください

（ご回答いただいたご意見・ご感想は広告等で使用させていただく場合があります。）

成功はある。人々がそれを中国語であると認識すると同時に崩壊してしまう「危うさ」を、持っているのである。そして、この無視の構造そのものが「からごころ」であった。

さらに長谷川は指摘する。

漢意は単純な外国崇拝ではない。それを特徴づけてゐるのは、自分が知らず知らずの内に外国崇拝に陥ってゐるといふ事実に、頑として気付かうとしない、その盲目ぶりである。

（長谷川三千子 前掲書）

自らは外国崇拝などしていない、といいながら無意識のうちに外国崇拝を行う精神構造こそが「からごころ」なのである。

そして、改めて福沢の文明観の一大転換を眺めてみたい。彼は自ら国に連綿と連なる文明観を無視した上で、西洋近代の文明観を普遍的な文明観として受け入れる。そうすることによって日本の「近代化」が成功していくのである。この「近代化」はそれが自らの文明観を切り崩し、あるいは自らの文明自身をも崩壊させうる力を持っている。そこに目を向けないことによってのみ成立するのがこの「近代化」である。そしてその目を背けさせる構造こそが「からごころ」である。

その成功の原因ともいうべき「からごころ」は、何故、本居にあれほどまでに非難されたのであろうか。独自の文化を破壊しながらも、「からごころ」は異文化摂取に役立つではないかとの反論批判が聞こえてきそうである。

長谷川は指摘する。

「無視の構造」は、たしかに日本文化の根本構造であり、もつとももすぐれた特質をなしてゐるものである。けれども、そこには底知れぬ「おぞましさ」が、ぴつたりと背中合はせになつて張りついてゐる。(略)「からごゝろ」の一条を通じて宣長が警告してゐるのは、この醜さ、おぞましさに対してである。(略)いまもまた、我々は、自分達が何者であるかを本当には見ないことによつて、我々らしさを保つて生きている。そしてこの生き方を貫くためには、「見ない」といふことに絶えず神経をとがらせてゐなければならない。あちらに一つ、こちらに一つと覆ひをして回りながら、しかもさうして心せはしく目をそらしてゐること自体を自らに隠しつづけなければならない。さういふ無意識の努力が限界に達するとき、その覆ひの下から顔をのぞかせるのが、漢意のもつあの「おぞましさ」なのである。

醜いことがそれだけでいけないのでない。恐しいのは、さうやつて覆ひ隠せば隠すほどふくれ上つてゆく「自己を見ない」ことの醜さが、或る日突然そのおぞましい顔をあらはした時、我々がすつかり不意をうたれてしまふ、といふことなのである。

（長谷川三千子 前掲書）


無視の構造である「からごころ」には「おぞましさ」が背中合わせとなっている。宣長が主張するのは、このおぞましさに伴う醜さのみではない。醜さを隠し、自らが隠していること自体も隠すといった行為が限界に達したとき、大きく膨れ上がった「自己を見ない醜悪さ」に我々が驚かされてしまうところにこそ、その非難の理由がある。

この「からごころ」によって覆われた近代日本のあるいは未来の日本の「おぞましさ」を見てしまった人物が西郷隆盛ではなかったろうか。

西郷隆盛を論ずる際に留意すべきは彼の文明観である。有徳すなわち文明、無道すなわち野蛮とする文明観なしに彼を論ずることはできまい。彼の征韓論から西南戦争に至る道程を辿りながら、「からごころ」によりもたらされた「近代」と西郷との格闘を検討し、彼の遺したメッセージを受け止めてみたい。

六　征韓論と西郷隆盛

一般には西郷が唱えた征韓論については、武力を用いて朝鮮を開国せしめるという目的で為されたと評せられる。たまたま手許にある高校生向けの参考書にはこうある。

> 幕末以来、朝鮮は鎖国政策を取り続け、明治政府の交渉態度に不満をいだき、日本の国交要求を再三拒否した。そのため日本国内では、武力を背景に朝鮮に対し強硬方針をもってのぞむべきだとする征韓論が高まった。政府部内でも西郷隆盛・板垣退助・後藤象二郎（略）らの参議がいわゆる征韓論を唱え、１８７３（明治６）年8月には、西郷隆盛を使節として朝鮮に派遣して交渉にあたらせ、国交要求が入れられなければ、兵力を送り、武力に訴えて朝鮮の開国を実現させる方針を内定した。
>
> （『詳説　日本史研究』）

西郷個人の思想についての記述はないものの、特段注釈が施してあるわけではないので、一読すれば西郷の征韓論とは、「1873（明治6）年8月には、西郷隆盛を使節として朝鮮に派遣して交渉にあたらせ、国交要求が入れられなければ、兵力を送り、武力に訴えて朝鮮の開国を実現させる」ものであるということになるのであろう。

あるいは、西郷に対して一定の評価をする人々からは、西郷は死処を求めて征韓論を唱えていたとされる。

『高貴なる敗北』の著者アイヴァン・モリスは征韓論の動機を「十五年前、鹿児島湾の海中に取り逃がした死を、韓国で遂げようという願望である」（『高貴なる敗北』）と断ずる。ここでの十五年前に取り逃がした死とは安政の大獄の際に西郷隆盛が勤王の僧月照（げっしょう）とともに海に入水し、西郷のみが生きながらえたことを指している。十五年前の死を取り戻すために決然西郷は韓国に赴くのだという。

だが、どちらの見解も西郷の文明観を無視したものではなかろうか。

まずは西郷が武力を用いた征韓論者であったとの見解から反駁を試みたい。

それは西郷が下野した後の明治八年十月八日付の篠原国幹に宛てた手紙によって明らかである。

明治八年九月、大久保らの主導する政府は軍艦雲揚を派遣し、朝鮮沿岸で測量を行う示威行動をとった。そして艦長が飲料水を得ようと首都の漢城近くの江華島までボートで近づいた。これに対し、朝鮮は砲撃を行う。そのため日本軍がこれに反撃し、砲台を破壊し、兵員を上陸させ永宗城を占領した。世にいう江華島事件である。この後日本政府は、朝鮮政府に圧力をかけ、日朝修好条規を締結させた。

この事件に関して西郷は日本外交に激怒した。彼は篠原への手紙において和平のための国際手続を十分にふむことなく発砲するという武力行使は「天理に恥づべき行為」であったと怒りを露わにしている。

このような彼を一概に武力征韓論者と断ずることはあまりに早計であろう。

また、西郷征韓論者説を唱える論拠は、西郷が板垣に宛てた手紙にあるとされる。江華島事件よりも時を遡るが、まずはこれを眺めて見よう。

　是非此の処を以て戦いに持ち込み申さず候わでは、迚(とて)も出来候丈ヶに御座なく候に付き、此の温順の論を以てはめ込み候えば、必ず戦うべき機会を引き起こし申すべく候に付き、只此の一挙に先き立ち、死なせ候ては不便(ふびん)抔(など)と、若しや姑息(こそく)の心を御起こ

し下され候ては、何も相叶い申さず候間

（現代語訳）

この機会に戦に持ち込まないで朝鮮との国交を回復するのはとてもできそうにありません。この至極もっともな論を以って朝鮮との国交を考えるのであれば、（私を朝鮮に派遣して万一殺害されるようなことがありましたら）必ず戦う機会が転がり込んできます。ただ挙兵に先立ち、私を派遣して死なせては気の毒であると一時の憂いをお感じになっているのであれば、無用のご心配をしないでください。

この手紙を額面通りに受け取れば西郷は自らが全権大使として派遣され、そして殺された後に武力による征韓を板垣に勧めているかの如く受け取れる。

だが、これに対して桶谷秀昭は「これは板垣の征韓論と自分のそれとがちがふことを知つたうへでの西郷の計算であらう」（『草花の匂ふ国家』）と断ずる。すなわち、板垣らの主張する武力を行使する征韓論と、後に詳細を検討する西郷の文明観に基づく東洋の有道の国同士が手を携えるといった対朝鮮外交との間に大きな溝があることを意識した上での西郷からの手紙ではなかったのか、ということである。更にいえば、この溝の大きさを誰よりも承知していた西郷が、自らを全権大使として派遣させることを板垣に納得させるための方便の手紙ではなかったのか、ということである。

この西郷の手紙を受けた板垣は西郷が「死ぬ」とあまりにはっきりと書いてあるために、いささか驚いて死に急がないでくれとの通信をだした。これに対して西郷は「死に急ぐということはない。ただ、自らの死後の軍事は頼んだ」という趣旨の返信をだしている。

これを受けて非常に興味深い解釈をなしているのが葦津珍彦である。

西郷が「死に急ぎはしない」といっているところが大切ではあるまいか。もとより西郷は死を決しているし板垣を欺くつもりではない。しかし西郷は、心中ひそかに、死力をつくしての外交によって、あるいは征韓以上の堂々たる成果をあげうるかもしれないと思っていたのではあるまいか。

(葦津珍彦『永遠の維新者』)

無論、この時代に徒手空拳で明治政府、ひいては日本を代表する高官が国交のない外国へ乗り込んでいくことが安全であろうはずがない。西郷に死の覚悟はあったであろう。だが、自らならば平和裏に朝鮮との有道の国家同士の開国を成し遂げられるという自負心があったのではないか。自らの文明観に基づいた日本国にとっての最善の外交を為せるとの強烈な自負心があったのではあるまいか。そこに西郷の征韓論の真意があったのではなかったろうか。

無論、現代に生きる我々が西郷の外交観を稚拙だと嗤うことは容易である。だが、その嗤いこそが、あまりにとっぷりと近代に浸った我々の悲劇の記号であるのかもしれない。

ここで必然的に第二の命題に反駁がなされた形となった。すなわち西郷が死処を求めて征韓論を唱えたとする説である。繰り返すが、西郷は平和裏に文明国同士の提携を朝鮮に求め、自らならばその提携を成し遂げられるとの自負があったと考えられるのである。自身の死処を求めてなどということは、西郷の真意をはかり損ねたものといわねばなるまい。

西郷はその外交実現に向けての自信があったがゆえに、その夢を潰えさせた江華島事件に激しく怒ったのではなかったか。江華島事件とは、まさしく西洋諸国が日本に向けた姿勢を、その被害者であったはずの日本が朝鮮に向けて行った事件であった。力によって開国を求める「近代的な」外交を日本が展開したことを前にして西郷は怒り悲嘆にくれたことは想像に難くない。

板垣に宛てた武力を容認するかの内容と、実際に日本政府が武力による外交を展開した際の著しい差異は単なる時間の経過による変遷ではあるまい。もはや実現不可能になった有道の「文明」国同士の提携の夢に悔いを残したがゆえの変遷であり怒りであったと捉えるべきではなかろうか。

征韓論に関する西郷の真意を伝えるであろう文書が残されている。「遣韓使節決定始末」と題されたもので、いわゆる征韓論を巡っての閣議の後に太政大臣三條實美に提出された文書である。

　朝鮮御交際の儀

御一新の涯（きわ）より数度に及び使節差し立てられ、百方御手を尽くされ候得共、悉（ことごと）く水泡と相成り候のみならず、数々無礼を働き候儀これあり、近来は人民互いの商道を相塞ぎ、倭館詰め居りの者も甚だ困難の場合に立ち至り候故、御拠（おんよんどころ）なく護兵一大隊差し出さるべく御評議の趣承知いたし候に付き、護兵の儀は決して宜しからず、是よりして闘争に及び候ては、最初の御趣意に相反し候間、此の節は公然と使節差し立てらるる相当の事にこれあるべし、若し彼より交わりを破り、戦を以て拒絶致すべくや、其の意底慥(たし)かに相顕れ候処迄は、尽くさせられず候わでは、人事においても残る処これあるべく、自然暴挙も計られず抔(など)との御疑念を以て、非常の備えを設け差し遣わされ候ては、又礼を失せられ候得ば、是非交誼(こうぎ)を厚く成され候御趣意貫徹いたし候様これありたく、其の上暴挙の時機に至り候て、初めて彼の曲事分明に天下に鳴らし、其の罪を問うべき訳に御座候。いまだ十分尽くさざるものを以て、彼の非をのみ責め候ては、其の罪を真に知る所これなく、彼我共疑惑致し候故、討つ人も怒らず、討たるるものも服せず候に付き、是非曲直判然と相定め候儀、肝要の事と見居(みすえ)建言いたし候処、御採用相成り、御伺いの上使節私へ仰せ付けられ候筋、御内定相成り居り候次第に御座候。此の段形行(なりゆき)申し上げ候。以上。

十月十七日

（現代語訳）

朝鮮御交際について

明治維新のときより数度に及ぶ使節を朝鮮に送り、考えられる手段を日本側はとってきましたが、ことごとく水泡に帰す結果となっただけでなく、数々の無礼を蒙りました。近頃では民間人の通商も途絶え、日本人公館の役人も大変困惑する事態となっております。そのために、わけもなく朝鮮使節に護兵一大隊を御評議が派遣されるという趣旨のことを伺いました。護兵の件は絶対に承認してはいけません。護兵を派遣することが原因で朝鮮と戦争になっては、朝鮮との国交を回復するという最初の御趣旨に反してしまいますので、今回は公然と使節を派遣して国交回復の交渉に当たらせたほうが良いのです。もしも、朝鮮が、交渉を打ち切り戦を以って交渉を拒絶することがあったときにはじめて、つまり国交を結ぶ意思がないことが確かに顕在化されるまでは交渉をすべきなのであります。これらのことがすべてなされないでは、人事においてもまだ尽されていないといえますし、護兵を派遣すれば朝鮮は暴挙にでることはないだろうなどと考え、実行するのは、礼を失した行為であります。ぜひとも交誼を結ぶというご趣旨を貫徹していただきたく思います。そのうえで朝鮮が暴挙にでることがありましたら、初めて朝鮮の不正が審らかになり、その罪を問いただすことができるのです。そうした段階に立ち至るまえに、こちらが朝鮮の非を責めるのは、その罪が何であるかということがはっきりとせず、お互いの不信感を募らせるばかりとなります。討つ者も討たれる者も納得しないのであります。彼我の善悪をはっきりと見定めることが一番肝要なことでありますので、建言いたしました。この建言が採用され、朝鮮に派遣する使節に私を任命していただきましたら、朝鮮との国交を回復してみせます。以上。

十月十七日

ここで西郷は朝鮮への使節に護兵を伴わせることに反対している。何故ならこの護兵が闘争に及ぶことになった場合、文明国同士の提携という「最初の御趣旨」に反するからに他ならない。護衛を派遣すれば朝鮮が攻撃してくることはないなどと考えて武装をしていけば、それは礼を失することとなり、「交誼を厚く成され」るという御趣旨に反することになるのである。

使節を志願する彼の目的はあくまで交誼を結ぶことである。もしも相手の無礼によって使節が殺されるような事態になった場合、それは即ち彼らが無徳であることを意味し、その際の死の覚悟はできているというのが有徳の人西郷の「征韓論」の本心であったのではなかろうか。

七　そして西南戦争へ

征韓論議の後、失意のうちに野に下った西郷は、先述したように江華島事件を激しい怒りを以って迎えることとなる。更に指摘すれば、その前年の明治七年に明治政府は台湾征討を行った。しかもそれを指揮したのは西郷の実弟の西郷従道であった。

彼の胸中を去来した想いとはいかなるものであったろうか。

既に西郷の中では現実的に日本が先駆けとなる東亜有道の国家同士の提携という夢が殆ど潰えかけていたのではなかったろうか。大久保・板垣ら明治の元勲と呼ばれた彼らは官位にあるものも在野のものも既に自らの文明観を無意識のうちに捨て去り「近代」の中で日本がいかに生存していくかのみを追求し、ひたすらに西洋化を推し進めている。

江華島事件を非難する明治八年十月八日付の篠原国幹への手紙は次の如く結ばれている。

樺太一条より魯国の歓心を得て、樺太の紛議拒まんがために事を起し候も相知れず、或は政府既に瓦解の勢いにて、如何共なすべき術計尽き果て、早く此の戦場を開き、内の憤怒を迷わし候ものか、いずれ術策上より起り候ものと相考え申し候。此の末東京の挙動如何を見るべき処に御座候。二三度の報告を得候わば、曲相分かり申すべしと存じ奉り候。此の旨愚考の形行迄申し上げ候。

（現代語訳）

樺太千島交換条約によりロシアに譲歩して樺太の領土問題を解決した政府への国民の怒りを逸らすために朝鮮に出兵したのかは知りません。あるいは政府が瓦解様相を呈しており、如何ともしがたく万策尽き果てたので、早くこの朝鮮の戦場を開き、国内に募る憤怒の感情を逸らせるためでしょうか。いずれにせよ江華島事件は単なる術策から起こったものと考えます。これまで政府の挙動の事の次第を見てきました。事前に二三度の報告を受けていたのであれば、不正なことはしてはならないと申し上げたでしょう。この旨私の考えが受け入れられるまで建言いたします。

朝鮮への強圧的な政策を取った理由を西郷は分析する。この政策は日露の樺太千島交換条約（明治八年）の締結によって国内に髣髴と沸きあがった憤激を転化させるためか、あるいは政府自身への怒りを転化させるための術策にしか過ぎないと彼は断ずるのである。自らのごとき文明観に基づいた、国家百年の計なき政府の「挙動」を怒りの念を以って静かに見守っている観がある。

この下野した西郷がいかにして西南戦争を戦うに至るのであろうか。この西南戦争には何の宣言も遺されていない。いな、書かれてすらいない。我々はこれをいかに解釈すべきなのであろうか。

まずは一般的な説としては、廃刀令・俸禄の停止によって不満を持った不平士族が起こした乱として西南戦争を位置づけるものがある。

この学説には唯物史観の精神の貧困がありありと表れてはいまいか。人をものと権利のみで眺め、そこに生きた人びとの精神や生の躍動、鼓動を感じられぬ冷徹で血の通わない史観と断ぜざるを得ない。少なくとも我々が求める歴史哲学の観点からすれば論外としか形容のしようがない。

ついで採られる説は西郷が弟子たちの暴発を抑えきれずに、偶発的な出来事をきっかけとして戦争が起こったとする説である。

西郷はただ弟子たちの情誼のために必敗の戦争への道を歩んだとするのがこの説である。しかしながら、この説は重大な点を見落としてしまっている。それは、もしも必敗で不要の戦争であれば、数多くの門弟、そして将来の日本を担う官軍を大々的に激突させなくとも、西郷が極少数の部下を率いて官軍に斬りこめばよい。だが、後に詳述するように西郷は官軍に対して徹底的に抗戦し、部下にも敢闘を命じている。この理由が説明できないのである。部下を愛し、日本を愛した西郷が自らの道連れのためにあたら若い有能な命を犠牲にしたとは考えにくい。

しからば何ゆえの挙兵であったのか。

> 文書には残さないで、ただ黙示したことが、人生には非常に多い。黙して語らなかったことの意味を、徹底的に考えてみなくてはならない。とくに西郷のような深い思想に生きた人をみるときには、その「黙」にどんな意味があるのかを思うべきであろう。
>
> （葦津珍彦 前掲書）

黙して語らなかったことの意味をこそ問うべきであるとする。葦津珍彦は極めて説得力のある書き方で西南戦争に至る経緯を描いている。

以下、葦津の描いた西南戦争に関する西郷像を辿ってみたい。

征韓論議の後に下野した西郷は一貫して政府の変革を求め続けていた。

西郷とともに下野した江藤、板垣らは民選議員設立運動を展開する。建白書を提出する際に板垣は西郷に署名に加わるように求めた。これに対して西郷は応じようとはしなかった。「西郷は、武力手段であれ非武力手段であれ、ともかく『政府の変革』が前提でなくてはならないと信じたのであろう。（略）政府の変革とは、西郷の見地からすれば、官制の修正とか制度の新設などでは達せられない。維新の大いなる精神を失ってしまった**政府要路者の総追放**である。要路の人間とその精神が問題なのである。この権力者の総追放なしに、その権力者の承認しうるような建白では、民権も民撰でも無意味にちかい」と考えたと葦津は推察する。

さらに葦津の説をみよう。

「西郷は帰郷して何を考えたか。憤懣はやるかたないけれども、かれには生涯をかけて戦ってきた『明治維新』そのものを否定する思想は、いささかもない。あくまでも政府当路が維新の義戦を裏切ったものとして、みずからの所信を維新正統の本道だと信じている。維新の正統、本道を裏切った権力は、必ずや遠からずしてゆきづまり、破綻すると思った」。そして「理想に遠去かる政府が破綻するのは必至で、その機をつかんで『政府の変革』を断行せねばならない。断行のときに武力を要するか要せぬか、その手段、方法は、おそらく西郷にとっては第二義であろう。それは、その事の生じた由来と、性格と、時の勢いによって決まる」とするのである。

あくまで西郷は自らの手によって再び維新を行わんとしていたとし、葦津は西郷を「永遠の維新者」と形容するのである。

だが、維新を求める西郷にとって軽挙妄動は慎まねばならない。必ずや天機がある。それを求めねばならない。無論、西郷自身は失敗を、更にいえば死をも恐れぬ。この世に生きる俗人の法廷において裁かれるのは覚悟の上である。だが、「『人を相手にするなかれ、天を相手にせよ』と教えた彼は、いつでも天の法廷の前に立っては、自分こそが天下の大法にたいして忠であり、自分を罪した者こそが不法であるとの理義を確信することを欲していた」。

すなわち俗人の法廷においてはいくら逆賊と罵られようとも意に介することはない。

ただ、一つの望みは天が自らの行為を法に適った行いとしてくれさえすればよいのである。葦津によれば西郷は実際に第二の維新を行わんとして天の機会をうかがっていた。だが、事態は急展開することとなる。

大久保を中心とする明治政府が薩摩に密偵を放ち、更には政府高官の一部は西郷の暗殺を目論んでいたのである。

その政府の密偵の検挙が決定された日、西郷が建設した私学校生が磯の海軍造船所に付属する火薬庫の弾薬略奪を決行し、官物掠奪の罪を犯した。

この間、西郷は偶々不在であった。翌日「西郷は、掠奪事件を聞いて、概然として叱り歎いたという。これで西郷の欲する天の機は失われてしまった。しかし暗殺計画にたいしては、政府が天下の公法を紊るものとして激怒した」。そしてこのときに「西郷は被告の師として討たれるのを待つか、原告として詰責者の立場に立つかの二者択一を迫られたのだ」とし、「西郷としてこの決断は、よき天の機を得たものでもなく、地の利を得たものでもなかった。(略)(しかし)西郷としては、これ以外に決断の道はない」とするのである。彼が原告として立つことになったのは何故か。それは「政府の高官が、天下の公法をふみにじって挑戦してきた。公議公論の自由を奪い、私学校を分裂させ、しかも指導者を暗殺せよと命じたのである。これはもはや政策の相異優劣なのではなくして刑法犯罪である」。そして「天下の法を守るべき内務卿大久保、大警視川路などが、暗殺をくわだてるような刑法犯罪をあえてするというのでは、これは天下の大法は立たず、国は亡ぶる」と感じたがゆえに挙兵に至ったのだとするのである。

長きにわたったが、以上が葦津の西南戦争勃発までの経緯の解釈である。

確かに実証的であり、かつ、西郷の胸中へと想いを馳せている。凡百の歴史家には為し得ぬ西郷理解といってよかろう。しかし、この『永遠の維新者』を一読した際に、筆者は何ともいえぬ漠とした思いにとらわれたことを忘れることができない。

西郷が挙兵せざるをえなくなった状況は切実に伝わってくる。予期せぬ政府の暗殺計画、そして子弟の暴発。

だが、ここで肝要なのはその挙兵の大義ではなかろうか。

無論政府が西郷暗殺を命じたことは論外であり、弁明の余地はない。だが、同様とはいわぬまでも官物掠奪とて十分な罪である。暗殺事件と官物掠奪の二つの罪を眼前にした西郷が、自らを「原告」であるとしても「被告」の師の立場を無視して挙兵したとはいささか論理の展開に無理があるのではあるまいか。西郷が原告であったとしても、被告の師であることを捨象することはないのではあるまいか。

そもそもどちらが原告であり、被告であるといった二元論的な命題の中に西郷挙兵の理由を求めること自体に問題がありはしまいか。確かに常人であれば必ず自らを原告の立場に置き、相手を被告として相争うことになるであろう。だが、西郷ほどの英雄である。挙兵の大義をもう一段深く考えることはできないであろうか。

部下から西郷自身の暗殺計画と弟子による官物掠奪を聞いた西郷は、自らが暗殺され、弟子とともに築き上げた兵学校が壊滅する未来を予見したはずである。アジアにおける文明国間の提携の夢は潰え、そしてさらには自らの生命をも明治政府は狙うに至った。彼らは自らの目を覆い知らず知らずのうちにこの日本を西洋化させ、精神的に亡国の淵に追いやらんとしている。ここに西郷は悲しみ憤り心中深く期すところあったがゆえに挙兵に至ったのではないか。

江藤淳は『南洲残影』において西郷の挙兵の大義を推察する。


「天子」と皇族が、それを戴く政府の「姦謀」が、ともに相寄って自ら国を亡ぼそうとしているとすれば、この一事だけはどうしても赦すことができない。人は一口に、「尽忠報国」という。しかし、「尽忠」ではなくとも、「報国」、即ち国恩に報いずにはいられないという一途な熱情を、どうして抑えることができるだろうか。然り、西郷は、「報国」の至情のために挙兵したのである。国を亡ぼそうとする「天子」と皇族と政府の「姦謀」を、粉砕するためにこそ鹿児島を出立したのである。

それでは何故に、「天子」と皇族と政府の輩とが、相集うて国を亡ぼそうとしているといえるのか。彼等こそは兵力と小銃大砲と弾薬と、軍資と糧食と運輸機関と、軍艦と通信電線との力によって、この国を西洋に変えようとしている者たちである。黒船を撃ち攘(はら)い、国を守ることこそ、維新回天の大業の目的だったではないか。しかるに今や、「天子」と皇族と政府の「姦謀」は、自らの手でこの日本の津々浦々に黒船を導き入れ、国土を売り渡そうとしているではないか。西郷はそれが赦せない、しかるが故に立ったのだと。

（江藤淳『南洲残影』）

明治維新の目的とは無道の国から派遣された黒船を撃ち攘い、国を守ることにあったのではなかったか。ところが天子をいただく明治政府は何を為したか。彼らは自ら進んで国を西洋化し無道の国への道を歩むに至った。彼らは「日本の津々浦々に黒船を導き入れ、国土を売り渡そうとしている」。これを西郷が赦せるはずもなく、挙兵に至ったとする。

筆者もここにこそ西郷挙兵の大義を求めるべきであろうと考える。すなわち西郷の挙兵こそが西郷の思想であったと考えるのである。西郷の挙兵は単なる偶然によるものだけではない。西郷の思想をその根底に置くのである。

征韓論争の際も同様だが、西郷は一貫して西洋近代というものの本質を見失うことはなかった。維新を成し遂げた日本が盲目的に西洋化を推し進めている。本来進むべき道を誤っているように思われてならない、このままでは国が滅びる、それこそが下野して以来の西郷の真意であったのではないか。弟子の暴発と暗殺計画を眼前にしたとき、座して国家の滅亡を待つわけにはいかぬという心の底からの愛国の至情が燃え上がったのではなかろうか。そしてそれこそが西郷挙兵の理由であったのではあるまいか。

八　西郷隆盛と日本人の歴史哲学

では何故に国家を守らんとするものが、国家を代表する政府に反旗を翻すのか。

それは国家とは現に存する国民の専有物ではありえないからに他ならない。過去・現在・未来と連綿と続く垂直的なるもの、それこそが西郷の守らんとした国家であったからである。現在の政府は垂直的共同体としての国家を断ち切り、これを滅ぼさんとする革命勢力ではないか。これを断固として拒絶せねばならない。これが西郷の思いではなかったろうか。

今、西郷が挙兵したところで明治政府を倒せぬことは承知していたはずである。だが、誰かが不正に対して立ち上がった、この記憶こそが連綿と続く国家の歴史の中で、後に続くことを可能にするのではないか。歴史に立ち上がった記憶を克明に刻むこと、ここに彼の挙兵の意義があったのではなかろうか。

江藤淳はまことに適切にも述べている。

挙兵の道が死への道であることもまた自明のはずである。それを知りながら、西郷は既にその道を歩みはじめている。何故にか? こうしているあいだにも、国が内側から崩れて行く物音が、その両の耳に聴えているからではないか。

その崩壊と頽落を、死を賭して防がなければならない。そして滅びへの道を選び、死を賭してそれを防ごうとした者どもがいたという事実そのものによって、国の崩壊を喰い止めなければならない。何故なら、このようにして死んでいった人々の記憶は、かならず後世に残るからである。死者たちの記憶を留めた後世が、何らの記憶すら持たぬ後世とは違うことはいうまでもない。ならば後世の記憶となるために死のう。

（江藤淳 前掲書）

後世の国民に敢闘の記憶を残すことによって垂直的共同体としての国家を守り抜く。歴史の中で自らを犠牲にしても国家という垂直的共同体を守らんとすること。これこそが西郷の思想であり、日本人の歴史哲学であったのではないか。

それゆえに西郷は最後に至るまで戦い抜く道を選ぶ。何故ならこの徹底抗戦である姿こそが肝要であるからである。描くとも徹底して西洋、近代に対峙し戦い抜いた記憶をもつ国民と持たざる国民とでは自ずとその未来の差は明らかであろう。そのためにこそ必敗の闘いを挑んだのだ。

西南戦争の末期、西郷が城山に立て籠もった際、官軍側の山縣有朋は西郷に自刃を勧告する書簡を送っている。

君何ぞ図らずや。交戦以来、已に数月を過ぐ、両軍の死傷、日に数百。骨肉相殺し、朋友相食む。人情の忍ぶべからざる所を忍ぶ、未だ此戦より甚しきはあらず。而して戦士の心を問へば敢て寸毫の怨あるに非ず。王師は兵隊の武職により、薩軍は西郷の為にすと言ふに外ならず。

(略)而して君が麾下の将校にして善く戦ふ者は概ね死傷し、薩軍の復為す可らざるや明かなり。将た何の望む所ありてか、徒に守戦の健闘を事とするや、説者必ず曰はん。西郷は事の成らざるを知ると雖も、其の余生を永くせんが為に千百の死傷を両軍の間に致すをかなしまざるなりと。有朋固より其然らざるを知るを以て、君が為めに之を痛惜せざるを得ず。

願くは君早く自ら図り、一は此挙の君の素志を非ざるを証し、一は彼我の死傷を明日に救ふの計を為せよ。君にして其図る所を得ば、兵も亦尋いで止まんのみ。

(現代語訳)

交戦状態に入って以来、すでに数ヶ月を過ぎた。両軍の死傷者は日に数百を数え、親族、友人は殺しあっている。これほどまでに心を鬼にした戦いはいまだかつてない。しかしながら、戦士の心情は怨みの心がすこしもないのである。天皇の軍隊は、使命だから戦うと言い、薩摩の軍隊は西郷のために戦うと言うのみである。

（略）しかしながら、貴君の配下の有能な将校は概ね死傷し、薩摩軍に勝機がないことは明らかである。徒に守戦の健闘をして何が望みなのだろうかと思う。後世この戦を説く者は必ず次のように言うだろう。「西郷隆盛は、勝ち目がないと分かっていても、生きながらえるために大勢の死傷者を出そうとも悲しまない男である」と。私は、貴君がそのような人物ではないことを知っているからこそ、このことが痛惜せられてならないのである。

一刻も早く考え直すことを切望する。一つはこの挙兵が貴君の意志でないことを示すために、もう一つは両軍の死傷者をこれ以上出さないために。貴君さえ考え直せば、兵も戦いを止めるのです。

ここで山縣は西郷に西南戦争の凄惨さを指摘するとともに、西郷が自刃することによって配下の命をながらえさせる道を選ぶことを勧告している。

西郷が弟子たちの暴発を抑止できず、その情誼からのみ西南戦争を起こしたのならば、西郷はこの勧告を受け入れるべきであったであろう。あるいは山縣が指摘したように「薩軍は西郷の為にすと言ふ（薩摩の軍隊は西郷のために戦うという）」であったなら、西郷はこの勧告を受け入れたであろう。しかしながら西郷の挙兵の大義はそこにはない。あるのは殉国の至情のみである。それゆえにこの勧告に西郷は一切応じることはなかった。

西郷は河野主一郎、山野田一輔に西郷の挙兵の大義を説明に遣わすのみで決戦に挑む。

西郷の絶筆は以下の通りである。

今般河野主一郎・山野田一輔の両士を敵陣に遣わし候儀、全く味方の決死を知らしめ且(か)つ義挙の趣意を以て大義名分を貫徹し、法廷において斃(たお)れ候賦(つもり)に候間、一統安堵し此の城を枕にして決戦致すべく候に付き、今一層奮発し、後世に恥辱を残さざる様に覚悟肝要にこれあるべく候也。

九月廿二日

西郷吉之助

各隊御中

（現代語訳）

今般、河野主一郎、山野田一輔の両士を敵陣に派遣した件、味方の決死の覚悟を敵陣に伝えるとともに、この挙兵の意義を以って、大義名分を貫徹し、理がどちらにあるのかを明らかにして斃れるつもりなので、諸君らは心安くしなさい。この城を死地と考えているので、今一層の奮発と、後世に恥辱を残さないよう覚悟して戦うように。

九月二十二日

西郷吉之助

各隊御中

ここで西郷が「後世に恥辱を残さざる様に覚悟肝要にこれあるべく候（後世に恥辱を残さないよう覚悟して戦うように）」と文章を遺している事実が何とも感慨深い。西郷はあくまで最後まで戦い抜くことによって後世の国民へと敢闘の記憶と無言のメッセージを遺したと考えられよう。

自らを犠牲にしてまでも、その姿を国家の歴史に刻み、後世の奮起をうながすということ。ここには大東亜戦争の際の特攻隊の哲学にも似た歴史哲学を見出すことができよう。

近代との対峙は、今なお為されねばならぬ対峙である。とてつもなく巨大な近代と対峙することの意義を、西郷隆盛の姿は今生きる我々に教えてくれる。

第４章　特攻隊と大東亜戦争

一　似て非なるもの――特攻と自爆テロ

日本人の歴史哲学を語るうえで、忘れるわけにはいかぬのが、特攻隊の方々の存在である。日本が日本として存続する限り、彼らの行為は忘れられることはないだろう。非常に不幸なことに、現在の日本では、特攻隊の存在が卑小化され、矮小化されているように思われる。

まずは、特攻隊が語られる際の二つのイメージについて検討するところからはじめたい。

一つ目のイメージは、九・一一テロの際に国際貿易センタービルに突入して自爆したテロリストと、特攻隊員を同一視するものである。「知の巨人」と呼ばれる著名なジャーナリスト立花隆は九・一一テロの後、『自爆テロの研究』と称する文章の中でこのように書いている。

日本は特攻隊という形で、多数（三千人以上）の殉国者を出した伝統を持つ国である。特攻隊員の手記を読むと、彼らの多くがほとんど宗教的といっていいほど強い情念をもって、国に殉じていったことがわかる。昭和戦前の日本は、現人神の支配する神国であったから、そこで育った若者たちは、国に対して宗教的情念(熱狂的愛国心)を持つようになり、それに身を捧げることに喜びを持つことができたのである。特攻隊員に選抜された、ある飛行予備学生はこう日記につづっている。(『学徒出陣の記録』光人社)

「一大記念すべき日なり。私の身を心を、祖国に捧げ得る日が予約された日だ。何たる喜びぞ。光栄無上絶対なり」

彼らが実際に、敵の戦艦に突っこんでいくときは、どんな気持だったのだろうか。九月十二日、テレビが繰り返し繰り返し映し出す、貿易センタービルに突っこんでいく飛行機の姿を見ているうちに、私はふとあのビルが特攻隊機が突っこんでいった戦艦のブリッジのように見えてきて、そんなことを思った。衝突の瞬間、あの飛行機の操縦席にのっていたイスラム過激派の連中にも、自分たちが悪をなしているという意識は全くなかったにちがいない。むしろ自分はいま神の腕の中に飛びこみつつあると思って、一種の法悦境にひたっていたのではないか。

（立花隆「自爆テロの研究」『文藝春秋』二〇〇一年十一月号）

立花は戦前の日本を「現人神の支配する神国であった」とし、「そこで育った若者たちは、国に対して宗教的情念（熱狂的愛国心）を持つようになり、それを身を捧げることに喜びを持つことができた」とする。そして遺書を見ながら「彼らの多くがほとんど宗教的といっていいほど強い情念をもって、国に殉じていったことがわかる」とするのである。また「貿易センタービルに突っこんでいく飛行機の姿を見ているうちに、私はふとあのビルが特攻隊機が突っこんでいった戦艦のブリッジのように見えて」きたと述懐している。

一読してわかることは、立花は何の知的な吟味も加えることなしに、特攻隊と自爆テロのテロリストを同一視していることである。両者は特殊な宗教的情念を持ち、これに身を捧げることを喜びと感じるに至っている狂信者であり、「特攻」と自爆テロはその宗教的情念の発露として捉えるべきである、という立場が浮き上がってくるのである。

この一文は「自爆テロの研究」という論文の本旨とは、あまり関わらない部分である。何らかの検討を加えることなく、当然の印象としてごく自然に書き留めている。それゆえ逆に立花が両者の共通性を心底信じ切っているように思われるのである。

この特攻と自爆テロを同一視する視点には大きな欠陥がある。まず、特攻は国際法における戦時に行われたものであり、平時の自爆テロとは異なる。そして、特攻隊とは、何らかの宗教的情念や「熱狂的」愛国心に身を捧げることを喜びと感ずる人間が行ったわけではないからである。

まず特攻は戦時という極めて例外状況において行われたということを見逃してはならない。日本とアメリカが戦争を行っていた際、日本の劣勢を何とか挽回せんとして行われたものである。軍服を着た人間同士が殺し合うことが許される極めて異常な例外状況の中での戦術の一つである。

相手（アメリカ）にとっては予想できぬ行為ではあったかもしれぬが、許せぬ暴挙ではなかったはずである。むろん、特攻によって戦友を喪ったアメリカ軍人が怒ったことは疑いえない。だが彼らの怒りは悲しみに端を発する感情であったはずである。特攻を不正義と断じ、憤ったわけではなかったであろう。

一方、九・一一に見るような自爆テロは、平時における凶悪犯罪以外の何ものでもない。平和な日常生活をおくる市民を何の前ぶれもなく無差別に殺すのがテロである。

軍人は自らの家族、友人、そして女、子供といった自らより弱き存在を守るために戦う。一方でテロとは、元来守られるべき弱者を最初から目標とする行為である。卑劣な行為といわざるをえない。

恐らくテロリストたちの胸中にあった思いとは、アメリカ人憎しとの憎悪のみの感情であったのではなかったか。罪なき民間人が乗る飛行機を奪い、アメリカに対する憎悪の念から為されたテロは、卑劣で残忍な行為である。これに対して怒りを覚えるのは、彼らの行為そのものに不正義を感じるからではなかろうか。後に詳述するが、特攻とは守るべき者への「愛」をその根本に置いた自己犠牲であった。空から、水中からあらゆる場所から彼らが敵艦に突っ込み、散華していったのは何もアメリカが憎いからのみではない。むろん、迫り来るアメリカに怒りを持ったのは当然であろう。だが、そのアメリカへの憎悪のみから特攻が為されたのではない。

一見すると近似して見える特攻と自爆テロとの間の無限の距離は、「愛」と「憎悪」の間の距離に等しいように思われてならない。

「特攻」に「愛」を感じるとの表現に違和感を覚える方がおられるかもしれない。確かに立花のごとく特攻隊員が「現人神の支配する神国」で「熱狂的愛国心」を持ち、特攻に「身を捧げることに喜び」を感じていたのであれば、それは同情の余地はあるが、「愛」を感じることなどできないはずである。

彼らは果たして熱狂していたのか。さらに問えば特攻とは狂った行為であったのだろうか。まずは十九歳で特攻隊員として出撃し、散華された宇佐美輝夫の御遺書を挙げさせて頂く。

御母様、いよいよこれが最後で御座います。

いよいよ一人前の戦闘操縦者として御役に立つときがきたのです。

御優しい、日本一の御母様。今日トランプ占をしたならば、御母様が一番よくて、将来、最も幸福な日を送ることが出来るさうです。輝夫は本当は三十五歳以上は必ず生きるさうですが国家の安泰の礎（いしずえ）として征きます。御両親様の御写真を一緒に沈めることはいけないことださうで、今ここに入れて御返し致します。御写真と御別れしても天地に恥ぢざる気持にて神州護持に力（つと）めます。短いやうで長い十九年間でした。いまはただ求艦必沈に努めます。（特攻行の）発表は御盆の頃でせう。今年の御盆は初盆ですね。日本一の御母様、いつまでも御元気で居て下さい……この前、新田の御母様と御会ひしました。新田によく似た顔の丸い人でした。私が新田の飛行機を説明すると感心するやうに聞いて下さいました。御母様に私の飛行機も見て頂きたかつたであります……では元気に、輝夫は征きます。永久にさよなら。

（神坂次郎『今日われ生きてあり』）

この出撃前に母へと送った手紙から、熱狂的、狂ったとの印象を抱くであろうか。自身の死に際して母が悲しまぬように必死に努力している姿を垣間見ることができまいか。「御母様が一番よくて、将来、最も幸福な日を送ることが出来るさうです」との表現は、母を気遣うけなげな姿を思い起こさせる。そして淡々と「輝夫は本当は三十五歳以上は必ず生きるさうですが国家の安泰の礎として征きます」と、自らの二度と帰ることのない出撃を連絡している。危機において「国家の基礎として」出撃する力強い覚悟をも感じさせる一文である。

果たして、宇佐美は狂っていたのであろうか。

次いで挙げるのは東京大学から学徒出陣した大石政則の、出撃前の最期の両親との面談の一話である。

父はその日のうちに帰らなくてはいけなかった。

「政則、わかっているな、親の気持を」

「うん、わかってるよ」

だからどうするという行動は子にはない。だったらどうしろという願望は父にはない。結局、手を握りあい互いの体温を伝えただけで父は帰って行った。（略）

大石母「次の日の朝になってあの子が今日で別れようと申しました。きりがないと言われるとこの先まだたっぷり時間があるような気がしましたし、傍にいてもかえって心配させるかと家に帰ることにしました。旅館の玄関先まで送って出ると、あの子はふり返って、じっと私を見つめていましたが、「お母さん、ありがとう」言うなり背を向けて行ってしまいました。まさか翌日に出撃するなんて、〈ありがとう〉は〈さよなら〉の意味だったのですね。」

大石の遺詠がある。

たらちねの　いませし空を伏して拝み　別れの言葉告げ奉る

（須崎勝彌『カミカゼの真実』）

親が子の身を安じ、身を安んじられた子供も親の気持ちはよくわかっている。だが、当時どうすることもできはしなかった。何故か。国を挙げて戦争をしていたからに他ならない。一国が命運をかけて戦い、国民もまたその時代を生きていたがゆえに他ならない。

大石の母との別れもまた実に淡々としていてすがしい。「お母さん、ありがとう」と言って別れた大石は、背を向けて涙したことは想像にかたくなかろう。この家族の別れに何か熱狂的なものを感じるであろうか。大石は狂って出撃したといえるであろうか。

さらに一例を挙げる。中央大学から学徒出陣した穴沢利夫が婚約者へと遺した手紙の一節である。

> 書くこともなしに筆をとつたが、つまりは手紙を書くことによって幾分でもたまらない気持を和げたいと希(ねが)つたからに他ならぬ。
>
> 昨夜来、いまだに降りつづける小雨も春の訪れを告げる。誰かが言った。「かうなると、あの素晴しい青葉、若葉の頃までみて死にたくなつた。段々欲が深くなつて困る」

と。

大事の前には未練がましいと捨てさるものではあるが、誰しも心底に抱いてゐる真のそして悲しい願ひであると思ふ。

いま丁度二十時。傍の大平がよろしくとのこと。今晩は三人だけ。静である。呉々も御元気で。

わが生命につらなるいのちありと念(おも)へばいよよまさりてかなしさ極む
粉とくだく身にはあれどもわが魂(たま)は天翔(あまが)けりつつみ国まもらむ

（神坂次郎 前掲書）

「あの素晴しい青葉、若葉の頃までみて死にたくなった。段々欲が深くなつて困る」との戦友の言葉を紹介しつつ、それを「誰しも心底に抱いてゐる真のそして悲しい願ひである」と率直に述べている。また、そうでありながら同時に「わが魂は天翔けりつつみ国まもらむ」として、国家の礎となる覚悟を述べている。

立花が述べているように「宗教的情念（熱狂的愛国心）」を持って「現人神の支配する神

国」のために「身を捧げることに喜びを持つことができた」などと単純なものではあるまい。

ここで挙げた宇佐美、大石、穴沢は皆、生と死の葛藤を乗り越えて出撃していったのではないか。彼らは、生への未練が全くなく、単純に機械のように出撃していったのではあるまい。我々と同じ生身の人間が様々な苦悩を乗り越えていった結果こそが特攻であったのではなかろうか。大東亜戦争という未曾有の国難の中で、民族の独立と後世の日本の繁栄を望む純粋な気持ちこそが彼らの気持ちであったのではあるまいか。

二　特攻隊員は犠牲者か

すると特攻に対する第二のイメージが浮かびあがってくる。すなわちそれは、彼ら特攻で死んだ若者たちは、純粋で国家に欺かれた哀れな犠牲者であった、というイメージである。軍国主義者、軍国教育に洗脳され、死んでいった彼らこそが犠牲者であり、被害者であるとのイメージである。

このようなイメージのもとに編集されたのが『きけわだつみのこえ』である。本書は戦後のベストセラーの一つといってよく、戦時の若者の声を聞きたいと願う人々の必読書となっている。それだけに本書の影響力は絶大である。

私は特攻隊や大東亜戦争について勉強してきて、この『きけわだつみのこえ』の編集作業の行い方について怒りを禁じ得なかった。

その編集方針が冒頭に示されている。

> 初め、僕は、かなり過激な日本精神主義的な、ある時には戦争謳歌（おうか）にも近いような若干の短文までも、全部採録するのが「公正」であると主張したのであったが、出版部の方々は、必ずしも僕の意見には賛同の意を表されなかった。現下の社会情勢その他に、少しでも悪い影響を与えるようなことがあってはならぬというのが、その理由であった。
>
> （日本戦没学生記念会編『きけわだつみのこえ』）

すなわち編集部が判断する「かなり過激な日本精神主義的な、ある時には戦争謳歌にも近いような若干の短文」は、「現下の社会情勢その他に、少しでも悪い影響を与える」可能性があるために、削除されていることが、ここから明らかなのである。

それでは、彼ら編集委員たちは、どのような遺書を採用したのであろうか。

自然死ではもちろんなく、自殺でもない死、他殺死を自ら求めるように、またこれを「散華」と思うように訓練され、教育された若い魂が、若い生命ある人間として、また夢多かるべき青年として、また十分な理性を育てられた学徒として、不合理を合理として認め、いやなことをすきなことと思い、不自然を自然と考えねばならぬように強いられ、縛りつけられ、追いこまれた時に、発した叫び声が聞かれるのである。

（日本戦没学生記念会編 前掲書）

ここでは明らかに特攻や戦死といった行為が、洗脳の結果であるとしている。本来ならば不合理であることを知りながら、訓練教育によって「強いられ、縛りつけられ、追いこまれ」ていった結果、「他殺死を自ら求めるように、またこれを『散華』」と思うようになったと指摘している。

さらに続いている。

僕は、人間が追いつめられると獣や機械になるということを考えるのであるが、人間らしい感情、人間として磨きあげねばならぬ理性を持っている青年が、かくのごとき状態に無理やりに置かれて、もはや逃れ出る望みがなくなった時、獣や機械に無理やりにされてしまう直前に、本書に見られるようなうめき声や絶叫が、黙々として立てられた。

（日本戦没学生記念会編 前掲書）

特攻隊で散華された方々は、教育や訓練によって追いつめられ、最後は無理やり「獣や機械」とされてしまった可哀想な被害者である、その被害者が「獣や機械」となる直前にあげたうめき声や絶叫こそが、遺書から読み取ることができるとするのである。恐ろしく貧困な人間観がさらけ出された文章である。その感性は鈍く、冷たいと断ぜざるをえない。

この編集方針のもとで編まれた『きけわだつみのこえ』は重大な改竄（かいざん）があることが保阪正康の調べによって明らかとなった。具体的な改竄の様子が描かれている。

遺族から届いた遺稿は、前述のようにすべてガリ版で刷られて、選考にあたる者(といっても実際には中村と野元が中心だった)に手わたされたが、編集委員会のメンバーのなかにこのガリ版刷りを製本して保存している人物がいた。

私はこれを提供され、仮りに「原本・きけわだつみのこえ」(以下本書では、「原本と記す」)と名づけた。これを見て驚いたのは、遺稿のどの部分がどのように削られたか、朱筆で克明に書かれていることだった。しかも掲載にあたって編集委員会の間で討論が行なわれ、採用したものも、どの部分をどのように削るかについて「A」、「B」、「C」のランクをつけ、「A」はそのまま採用、「B」は再検討、「C」は削除という具合にしたことも書きこみによってわかった。つまりどのような形で『きけわだつみのこえ』が編まれるようになったかが、「原本」で一目瞭然となった。しかも、会議の重要なやりとりも記述されていた。(括弧内は原文)

(保阪正康『「きけわだつみのこえ」の戦後史』)

彼らは「A」「B」「C」、と特攻隊員の遺書を自らの意向に沿うものかどうか吟味し、これを編集していった。編集者は特攻隊の最後の思いを、うめき声や絶叫に改竄したのである。

例えばどのような改竄が行われていたのか。慶應大学から学徒出陣し、特攻隊として散華した上原良司の例を挙げたい。

まずは『きけわだつみのこえ』に掲載されている遺書をお読み頂きたい。

（『きけわだつみのこえ』収録上原良治遺書）

遺書

生を享けてより二十数年何一つ不自由なく育てられた私は幸福でした。温かき御両親の愛の下、良き兄妹の勉励により、私は楽しい日を送る事ができました。そしてややもすれば我儘になりつつあった事もありました。この間御両親に心配をお掛けした事は兄妹中で私が一番でした。それが何の御恩返しもせぬ中に先立つ事は心苦しくてなりません。

空中勤務者としての私は毎日毎日が死を前提としての生活を送りました。一字一言が毎日の遺書であり遺言であったのです。高空においては、死は決して恐怖の的ではないのです。このまま突っ込んで果して死ぬだろうか、否、どうしても死ぬとは思えませんでした。そして、何かこう突っ込んで見たい衝動に駆られた事もありました。私は決して死を恐れてはいません。むしろ嬉しく感じます。何故ならば、懐かしい竜兄さんに会えると信ずるからです。

天国における再会こそ私の最も希ましき事です。

私は明確にいえば自由主義に憧れていました。日本が真に永久に続くためには自由主義が必要であると思ったからです。これは馬鹿な事に見えるかもしれません。それは現在日本が全体主義的な気分に包まれているからです。しかし、真に大きな眼を開き、人間の本性を考えた時、自由主義こそ合理的になる主義だと思います。

戦争において勝敗をえんとすればその国の主義を見れば事前において判明すると思います。人間の本性に合った自然な主義を持った国の勝戦は火を見るより明らかであると思います。

私の理想は空しく敗れました。人間にとって一国の興亡は実に重大な事ではありますが、宇宙全体から考えた時は実に些細な事です。

離れにある私の本箱の右の引出しに遺本があります。開かなかったら左の引出しを開けて釘を抜いて出して下さい。
ではくれぐれも御自愛のほどを祈ります。
大きい兄さん清子始め皆さんに宜しく、
ではさようなら、御機嫌良く、さらば永遠に。

だが、これは実際の遺書とはかけ離れた内容となっている。次に本物の遺書をお読み頂きたい。

（上原良司の遺書原文）

遺書

生を享けてより二十数年何一つ不自由なく育てられた私は幸福でした。温かき御両親の愛の下、良き兄妹の勉励により、私は楽しい日を送る事ができました。そしてややもすれば我儘になりつつあった事もありました。この間御両親に心配をお掛けした事は兄妹中で私が一番でした。それが何の御恩返しもせぬ中に先立つ事は心苦しくてなりませんが、忠孝一本、忠を尽くす事が、孝行する事であると云ふ日本に於ては、私の行動をお許し下さる事と思います。

空中勤務者としての私は、毎日毎日が死を前提としての生活を送りました。一字一言が毎日の遺書であり遺言であったのです。高空においては、死は決して恐怖の的ではないのです。このまま突っ込んで果して死ぬだろうか、否、どうしても死ぬとは思えません。そして、何かこう突っ込んで見たい衝動に駆られた事もありました。私は決して死を恐れてはいません。むしろ嬉しく感じます。何故ならば、懐かしい竜兄さんに会えると信ずるからです。

天国における再会こそ私の最も希ましき事です。私は所謂、死生観は持っていませんでした。何となれば死生観そのものが、飽くまで死を意義づけ、価値づけようとする事であり、不明確な死を怖れるの余りなす事だと考えたからです。私は死を通じて天国に於ける再会を信じて居るが故に、死を怖れないのです。死をば、天国に上る過程なりと考える時、何ともありません。

私は明確にいえば自由主義に憧れていました。日本が真に永久に続くためには自由主義が必要であると思ったからです。これは馬鹿な事に見えるかもしれません。それは現在日本が全体主義的な気分に包まれているからです。しかし、真に大きな眼を開き、人間の本性を考えた時、自由主義こそ合理的になる主義だと思います。

戦争において勝敗をえんとすればその国の主義を見れば事前において判明すると思います。人間の本性に合った自然な主義を持った国の勝戦は火を見るより明らかであると思います。

日本を昔日の大英帝国の如くせんとする私の理想は空しく敗れました。この上はただ、日本の自由、独立のため、喜んで命を捧げます。

人間にとって一国の興亡は実に重大な事ではありますが、宇宙全体から考えた時は実に些細な事です。驕れる者久しからずの譬への通り、若し、この戦に米英が勝つとしても彼等は必ず敗れる日が来る事を知るでしょう。若し敗れないとしても、幾年後かには、地球の破裂により、粉となるのだと思うと痛快です。加之（しかのみならず）、現在生きて良い気になって居る彼等も、必ず死が来るのです。ただ、早いか晩いかの差です。

離れにある私の本箱の右の引出しに遺本があります。開かなかったら左の引出しを開けて釘を抜いて出して下さい。
ではくれぐれも御自愛のほどを祈ります。
大きい兄さん清子始め皆さんに宜しく、
ではさようなら、御機嫌良く、さらば永遠に。

傍線を付した部分が『きけわだつみのこえ』では、すっかり削除されてしまっている。遺書の内容が根本的に改竄されてしまったというよりほかない。『きけわだつみのこえ』によれば第一段落は「何の御恩返しもせぬ中に先立つ事は心苦しくてなりません」で終わってしまっている。だが、本来の遺書ではそこでは終わらず、「忠孝一本、忠を尽くす事が、孝行する事であると云ふ日本に於ては、私の行動をお許し下さる事と思ひます。」と続くのである。

これでは全く正反対の意味である。前者では両親への心苦しさを吐露し、謝しているのに対し、後者では、その親不孝な死をも両親は許してくれるであろう、とするのである。重大な改竄といわねばならない。

次の削除部分に目を転じよう。

「私は所謂、死生観は持っていませんでした。何となれば死生観そのものが、飽くまで死を意義づけ、価値づけようとする事であり、不明確な死を怖れるの余りなす事だと考えたからです。私は死を通じて天国に於ける再会を信じて居るが故に、死を怖れないのです。死をば、天国に上る過程なりと考える時、何ともありません。」

これは死を恐れぬという姿勢が、これからは生命至上主義の時代とならねばならぬと考えた編者に「社会情勢に何らかの悪影響を与える」と判断されたためであろうか。

次の「日本を昔日の大英帝国の如くせんとする私の理想は空しく敗れました。この上はただ、日本の自由、独立のため、喜んで命を捧げます。」の部分が削除された意図は明白であろう。前半の「日本を昔日の大英帝国の如くせんとする」との部分は編集者から見れば軍国主義的であり、「日本の自由、独立のため、喜んで命を捧げます」の箇所に至っては彼ら編集部の考える「獣や機械」になる直前の「うめき声や叫び」とは無縁のものに他ならない。

自らのイデオロギーに合致せぬものは削除し、口を封ずる独善が表れている。

さらに削除された部分はどうであろうか。

「驕れる者久しからずの譬への通り、若し、この戦に米英が勝つとしても彼等は必ず敗れる日が来る事を知るでしょう。若し敗れないとしても、幾年後かには、地球の破裂により、粉となるのだと思うと痛快す。加之（しかのみならず）、現在生きて良い気になって居る彼等も、必ず死が来るのです。ただ、早いか晩いかの差です。」

「米英」の破滅を「痛快」とすることから、ここには、上原の明確な米英に対する憤りがある。上原が米英を敵として認識していたことが明らかである。それゆえに削除されたのであろう。

これらの削除は明らかな改竄である。編集の一環といわれれば、それまでなのかもしれぬが、死者の遺書を自らのイデオロギーのために改竄する姿勢は道徳的に指弾されてしかるべきではなかろうか。この『きけわだつみのこえ』の改竄は重版された際に、上原良司の遺書本来の文面となったことで、訂正されたと思われた。ところが、重版されたものはより狡猾な形で改竄が存在することが保阪正康の『きけわだつみのこえ』の戦後史』にて、詳述されている。

自らの死生観、特攻観にあわぬものは、「死人に口なし」とばかりに改竄して恥じないその姿勢は、恐ろしい。戦中の検閲を上回る検閲が、他ならぬ日本人によって為されていることを忘れてはならない。

自らの死生観、特攻観と合致せぬものは、全て捨象するのであるから、結果としては、悲痛なだけの改竄された遺書が残ることとなる。確かにそれだけを眺めれば、彼ら特攻隊は犠牲者以外のものでもないかもしれない。しかしながら、それは改竄された虚像に他ならない。

真実とは、生への執着、死への恐怖と、家族・故郷・祖国のために身をなげうっても構わないという自己犠牲の精神とが内在していたものであったのではなかろうか。様々な葛藤の中で苦悩し、煩悶した結果、特攻隊として祖国のために散華されたのではなかろうか。

また別の視点もある。『桜花』の著者である内藤初穂は特攻隊で散華された方々には敬意を表しつつも、特攻を狂気の作戦であったとし、これを「組織的狂気」とする。

多くの若者を絶対死に投じた特攻。技術の本道を否定させた特攻。当時、特攻作戦の衝にあたった人の多くが、「自分は特攻には反対だったが、他に方法がなかった」と言う。また、特攻の責任を特定の個人に負わせる論者も少なくない。しかし、個人の思いつきだけで、あのように非情な作戦を実行に移せるわけがない。思いつめた個人が口火をつけたのかもしれないが、海軍という組織が組織として了承しないかぎり、作戦として定式化するわけがない。

責任の本質を問うとすれば、大日本帝国と呼ばれた国家体系のありかたであろう。そこでは、最終責任の所在が明確でないまま堂々めぐりして、とらえどころがない。不条理なもの、非人間的なものですら、これにブレーキをかける機能が組織的に働かない。個人の狂気は、たちまち組織の狂気へと変容する。特攻作戦という組織的狂気の定式化も可能になる。

が、しかし、特攻にすすんで身を託した死者たちは、この組織的狂気とは別次元の世界に生きている。

（内藤初穂『桜花』）

特攻とは大日本帝国の国家体制そのものに責任がある組織的狂気であるという。そしてこの狂気と、「特攻にすすんで身を託した死者たち」は「別次元の世界」に住んでいるという。

だが、本当に特攻とは狂気の作戦であったのか。ひいては大日本帝国とは狂気の帝国であったのだろうか。

三 立ち上がれる民族の誇り――大東亜戦争

若者たちが一つしかない生命をなげうった事実に向き合うためには、やはり当時の世界情勢と国民の意識とを考えねばなるまい。『きけわだつみのこえ』の編者にせよ、立花隆にせよ、内藤初穂にせよ、そこにある歴史認識とは「太平洋戦争史観」であろう。すなわち、軍国主義の大日本帝国が、国を挙げて宗教的熱狂状況に陥り暴走、同じ帝国主義国ではあるものの、日本よりも格段と自由で民主的なアメリカと狂ったかのように戦った。その過程においてアジアの諸国には甚大な被害を与えた。「太平洋戦争とはまさに侵略戦争に他ならなかった」との認識である。

だが、大東亜戦争とは決してそこまで単純な戦争ではなかった。大東亜戦争を振り返れば、様々な原因が浮かび上がってくる。例えばヒトラー率いるドイツとの戦いのためには、アメリカの参戦が不可欠とチャーチルは考えた。何としてもアメリカに欧州戦線に参戦してもらいたかったが、当のアメリカ大統領フランクリン・ローズベルトは選挙の公約で欧州戦線不参加を謳い、選挙を勝ち抜いた。だが、日本からの攻撃さえあれば、自主防衛の名目で大戦そのものへの参加が可能となる。そして欧州へと米軍を派遣することが可能となる。

ウィルソンの理想主義外交を手本とするローズベルトにしても、世界の民主化のための正義の戦争を行い、歴史に名を刻まんとする野心があった。また現実問題として、自らのニューディール政策を最終的に成功させるためには、需要を最大化しなければならない。需要を最大化するためには、高額な兵器を消費し、需要を喚起する戦争は魅力的であった。そしてさらにアメリカにとって中国大陸への進出こそは従来の悲願であって、それを遮る日本は最大の障壁であった。

共産主義者の大謀略も見逃すわけにはいかない。コミンテルンの指示に基づき、ゾルゲ、尾崎秀実を中心としたスパイが日本の中枢部分にまで潜り込んだ。日本をアメリカと相戦わせ、世界の資本主義国家による対ソ戦を防ぎ、更には戦い合い、弱り切った日米をソ連が侵略するという恐ろしい大謀略が、確かに存在していたのである。これらの国際的事実を無視して、日本のみが侵略戦争を一方的に欲したがゆえに、「太平洋戦争」が勃発したと断ずることは、余りに浅薄で先人を愚弄する行為であろう。

日本を経済的に壊滅させようというＡＢＣＤ包囲網が形成され、石油の輸出が禁止された。石油のない日本は黙ってアメリカに屈すればよかったのであろうか。あるいは昭和十六年にアメリカ国務長官ハルが提示したハル・ノートを受諾すればよかったのであろうか。先人の営みによって国際的正当性をもった権益を全て放棄すべきであったのであろうか。

確かに大東亜戦争に敗れた日本は結果としてハル・ノートを受諾することと同様の措置をとらざるをえなかった。この結果だけを捉えれば、ハル・ノートを受諾すれば幾多の人命を失わずに済んだといいうるかもしれない。

恥ずかしながら私もそのように考えていた時期があった。

しかしながら、この議論は国家とは何か、歴史とは何かを考えぬ暴論である。なるほど、確かにハル・ノートを受諾することによって日本は戦争を回避しえたのかもしれない。しかしながら、それは単に戦わずして敗北を選んだことに他ならない。戦わずして敗北を喫した民族に残されたものとはいったい何であろうか。それは端的に述べてしまえば奴隷の平和に他ならない。自らの生存のためには、他の全てをかなぐり捨てる奴隷としての平和である。奴隷の平和の中で、民族は卑屈になり、精神的な荒廃を極め、ついには亡国へと至るのである。そして、世界史を繙(ひもと)けば、殆ど全ての民族が西洋列強の圧倒的な武力の前に、奴隷の平和を選択せざるをえなかった事実が明らかになろう。

その中で日本人は敢然と立ち上がった。幾多の若人の血を流しながらも、世界史上例を見ない大戦争を最後まで戦い抜いたのである。日本人は確かに武運拙く敗北を喫した。しかしながら、最後まで戦いぬくことによって真の亡国を免れることができたのである。

真の亡国とは、民族の誇りを奪われ、独立自尊の気概を喪ったときにこそ訪れることは、歴史の唯一ともいいうる法則である。先人が奴隷の平和を選ばず、勇敢に戦ったことは日本の亡国を救ったといえよう。この点のみにおいても、我々日本人は大東亜戦争を誇りに思わねばなるまい。この日本の立ち上がった姿と対照的な姿をユダヤ人に見ることができる。

数年前に流行した『戦場のピアニスト』という映画がある。その中の一場面である。ユダヤ人が強制収容所行の列車に乗せられている場面である。もちろんその列車の行く先にあるのは強制収容所であり、「死」である。しかし、列車には非常に多くのユダヤ人が乗っている。そのときある歯医者のユダヤ人が言った。

「我々は死に場所に連れて行かれるままになっている。屠殺場に送られる羊のように、ね。我々五十万人でドイツ軍を攻撃すれば、ここを抜け出すことができるんだ。少なくとも、歴史に禍根を残さず、名誉ある死に方ができるってものじゃないか！」

（シュピルマン『戦場のピアニスト』）

それに対し、主人公シュピルマンの父は答える。

「どうして、君は我々が死の地へ送られる、そう決めつけるのかね？」「そうだ、むろん確なことは分かりゃしないさ。どうしてわかるもんか。けどね、奴らが我々を消し去ろうとしているのは九十パーセント確実だね！」（略）「ご覧なさい」（父親は群衆を指さす）「我々は英雄じゃないんだよ。全く普通の人間なんだ。だから十パーセントの生きるチャンス、その望みを繋ぎとめておきたいんじゃないかな」

（シュピルマン　前掲書）

ユダヤ人は五十万人が結集しながらも、ドイツ軍に対して立ち上がることはなかった。わずか一〇パーセントの確率にかけて、ドイツ人に命運を託した。そして粛々とかれらは虐殺されるままになっていった。ハル・ノートを受諾することなく敢然と立ち上がった日本人の姿とは対照的な姿がここにはある。

また、仮に、大東亜戦争において日本が立ち上がらなければどうであったろうか。恐らく未だにアジア・アフリカには数多くの植民地が存在し、あからさまな人種差別が横行していたことであろう。いったん植民地となった国々は自力で独立を勝ち取ることは困難である。

当時のアジアにおいて、独立国は日本とタイだけであった。しかし、タイの独立とは英仏がお互いの植民地が隣り合わぬようにするための緩衝地帯としての独立であった。本質的に独立していた国家は、アジアでは日本のみであった。

激動する国際情勢の中で日本は次第に追いつめられていった。むろん外交政策における失敗、軍部の横暴が一部に存在したことは事実である。しかしながら、あの大東亜戦争の本質は、日本が敢然と立ち上がったところにこそ見出されるべきではなかろうか。世界の諸民族が続々と欧米による侵略を受け、植民地とされた時代にあって、日本のみが敢然と立ち上がることができたのである。国家の危機において国民が一丸となって立ち上がることができた。「立ち上がれる民族の誇り」の表徴としてこそ大東亜戦争は意義付けられねばなるまい。

我々は歴史を振り返るに際に、結果を知っている。それゆえ勝ち戦の場合には、その開戦の理由自体を肯定し、敗戦の場合には開戦の理由そのものに不条理を感じがちである。しかしながら、勝った戦争だけがゆえもなく合理的で正しい戦争で、敗れた戦争はそれだけで不合理で無謀な戦争であるなどというはずがない。当時の切羽詰まった状況を理解することなしに、自らのみを高みに置き、歴史を裁く態度は、歴史に対する傲慢であり、自民族に対する裏切りに等しい所業であろう。敗北のために戦ったのではない。あくまで勝利を求めた結果、敗北に至ったのである。

国家が国民を挙げて一丸となって戦っていた。これこそが当時の状況であり、特攻隊もその文脈の中でこそ意義を見出すことができよう。特攻隊が無謀なことであれば、大東亜戦争もまた無謀に他ならない。特攻による死が無駄死にであるならば、大東亜戦争における死そのものが無駄死にであろう。

日本人は立ち上がることができた、ここに大東亜戦争の意義があるのだろう。そして大東亜戦争を立ち上がれる民族の誇りと捉えればこそ、特攻の意義が見えてくる。特攻隊は民族の誇りを守り、表徴し、それを後世に伝えていくために、国を挙げて戦っている中であったからこそ出現したのである。

四 「回天」に見る特攻隊の真髄

特攻隊の実像に迫るため、人間魚雷「回天」について考察してみたい。

私事にわたり恐縮ではあるが、私が幼少のころ父に連れられて靖国神社を訪れたことがある。遊就館は改修される以前のものであったが、そこに巨大な黒い爆弾（魚雷）が置かれていた。若い人達がこれに乗って行ったんだと解説を受け、幼心に何とも言い難い感動をしたことを忘れることができない。

「回天」とは、衰えた時勢、国勢を盛り返す、との意味だが、まさに「回天」を望まねばならぬほど、日本の劣勢は明らかであった。昭和十九年六月のマリアナ沖海戦で日本海軍の機動部隊が敗北して以来、日米の戦力の圧倒的な差が明らかになってきたのである。そのような状況の中、黒木博司中尉、仁科関夫少尉が精魂込めて構想したのが生還の望みのない人間魚雷「回天」である。脱出装置のない兵器は認められぬとする軍部に対し、黒木・仁科の両名、そして前後して数人の若手士官が人間魚雷の採用を血書で嘆願した。必死兵器の設計を拒み続けた軍上層部も若手士官の至純の志と戦局の劣勢を鑑み、この人間魚雷「回天」を正式に採用した。

生還を万が一にも望むことのできぬ必死の兵器「回天」の搭乗員は、完全に志願によって決定されていた。

彼らはいかなる心境で「回天」に志願し、そして散華していったのであろうか。

搭乗員最年少の十八歳で特攻し、散華した三枝直の例を挙げる。

三枝は山梨県立甲府中学校五年生のとき、進路決定に際して一般とは異なった進路を決定した。当時の中学五年生にとって進路の選択肢は海兵、陸士、高等学校、専門学校があった。ところが三枝は予科練に進みパイロットを目指すことを決める。

三枝が進路を決定した昭和十八年は、日本の敗北の色が濃くなりつつある年であった。山本五十六長官の戦死。アッツ島における山崎保代陸軍大佐率いる部隊の玉砕。国家危急存亡の秋(とき)にあって一刻も早く役立つパイロットを養成することが予科練の使命であった。

三枝は父親に予科練へ進むことを願うが、父はこれを拒絶する。拒絶された三枝は父の認め印を持ち出して願書を出し、父に許しを求めた。両手をついてわびる三枝に対して父は、こう言った。

「ようし、飛行機乗り、ゆるしてやる。だが条件がある。ただの一兵卒で、死ぬなよ。三枝家の名誉にかけて、将校になって帰ってこい」

「はい、必ず不孝のおわびはいたします。しかし、口答えのようですみませんが、このさい名誉も階級も必要ありません。たとえ一兵卒でも、ほんとうに立派な行動をとったなら、そのほうが偉いと思います。若い人でなければやれないことを、私は実行します。もしこれができたなら、形式だけの大将や中将より偉いと思います」

（上原光晴『「回天」その青春群像』）

台所で聞き耳を立てていた母が入ってくると、三枝はさらに続けた。

「金銭とか財宝、名誉や階級などは、一生懸命に血眼になってもとめても、死の瞬間にその人から離れてなくなるものでしょう。私はもっともっと尊いものを、永遠に人の心に刻まれて感謝される、消滅しない語り草を残したいのです。

この戦争で、山本元帥や真珠湾攻撃の九軍神、山崎中将、こういう人々は日本民族が滅びない限り、永遠に語りつたえられて名が残るのです。日本民族という大支柱を倒してはならないから、喜んでその犠牲となります。民族のため、国のため、最高の犠牲をはらった人を忘れるような民族はありません。この犠牲心が国を救い、国を興隆せしめるのです。私の決心は、憧れとか感激とかいうような浮薄なものはありません。どうか、お父さまもお母さまも、お許し願います」

（上原光晴　前掲書）

こうした至純の熱情を持って三枝は十三期甲飛採用試験に首位で合格した。十三期生が卒業をひかえた昭和十九年八月のある朝に、司令が全員を集めた。戦局の悪化とその打開のための新兵器が考案されたことを明かし、次のように語ったという。

殉国の熱情に燃える諸子の中から、この兵器に乗って戦闘に参加したい者があったら、のちほど紙をくばるから分隊名、名前を書いたうえ、二重まるを書いて分隊長まで提出しろ。どちらでもいい者はただのマル、行きたくない者は用紙は捨ててよろしい。

ただし、最後に断わっておくが、この兵器は、生還を期するという考えは抜きにして製作されたものであるから、後顧の憂いなきかいなかを、一晩よく考えたうえで提出するように。

（横田寛『あゝ回天特攻隊』）

パイロットを目指した三枝だが、その願いの本質はすぐにでも国家の役に立ちたいとする熱い思いであった。そのため三枝はこの生還を期することのない新兵器に乗って戦闘に参加することを決意し、見事選抜され「回天」搭乗員となった。

三枝は猛練習に次ぐ猛練習を終え、土浦空で厳選された百名の先陣をきって出撃した。出撃前の父一止（かずとめ）、母いちに宛てた遺書の一節にはこうある。

私この度、立派に相果てて申すことを得ば、私を只今の私たらしめて下されし方々に対し万一の報恩の緒にもつきなんと満足至極にて候。

（上原光晴 前掲書）

自らの出撃の際に、立派な戦死を遂げることによって自らを育んでくれた多くの人々に恩を返すことができるとしている。

次に塚本太郎の場合を見てみたい。

塚本は慶應大学から学徒出陣する直前の昭和十八年十二月十日に、父塚本福治郎が経営する高速商会銀座白牡丹ビル二階のスタジオで「出陣に際して」と題して円盤に録音した家族あての言葉を遺している。

父よ、母よ、弟よ、妹よ。

そして永い間、僕をはぐくんでくれた町よ、学校よ、さやうなら。本当にありがたう。こんな我儘なものを、よくもまあ本当にありがたう。

僕はもつと、もつと、いつまでも皆と一緒に楽しく暮したいんだ。愉快に勉強し、皆にうんとご恩返しをしなければならないんだ。

春は都の空に春風が舞ひ、みんなと川辺に遊んだつけ。夏は氏神様のお祭りだ。神楽ばやしがあふれてる。昔は懐かしいよ。秋になれば、お月見だといつてあの崖下に

『すすき』を取りに行つたね。あそこで、転んだのは誰だつたらう。冬、雪が降り出すと
みんな大喜びで外へ出て雪合戦だ。昔は懐かしいよなあ。
　こうやつて皆、愉快にいつまでも暮したい。喧嘩したり争つたりしても心の中では
いつでも手を握りあつて――だけど僕はこんなにも幸福な家族の一員である前に、日
本人であることを忘れてはならないと思うんだ……。

（略）日本人、日本人、自分の血の中には三千年の間、受け継がれてきた先祖の息吹き
が脈打つてるんだ。鎧兜に身をかため、君の馬前に討死した武士（もののふ）の野辺路の草を彩つ
たのと同じ、おなじ血潮が流れてゐるんだ。そして今、怨敵撃つべしとの至尊の詔が下
された。十二月八日のあの瞬間から、我々は、われわれ青年は、余生の全てを祖国に捧
ぐべき輝かしい名誉を担つたのだ。

　人生二十年、余生に費やされるべき精力の全てをこの決戦の一瞬に捧げよう。怨敵
を撃攘せよ。おやぢの、おぢいさんの、ひいおぢいさんの血が叫ぶ。血が叫ぶ。全てを
乗り越えて、ただ勝利へ。征くぞ。やるぞ。

　歳闌（とした）けし人々よ。我ら亡き後の守りに、大東亜の建設に、白髪を染め、齢を天に返し
て、健闘せられよ。また幼き者よ、我らの屍を踏み越え、銃剣を閃かし、日本旗を翻し

て前進せよ。

至尊の御命令である日本人の血が沸く。永遠に栄あれ、祖国日本。

我ら、今ぞ征かん。南の島に北の島に全てをなげうつて戦はん。大東亜の天地が呼んでゐる。十億の民が希望の瞳で招いてゐる。

みんなさやうなら！　元気で征きます。

昭和十八年十二月十日

（辺見じゅん『レクイエム・太平洋戦争』）

ここでの録音は、軍隊の外で行われたものであり、全く検閲の余地がない状況でなされたものである。まさに塚本の本音といってよいのではなかろうか。「父よ 母よ、弟よ、妹よ。そして永い間、僕をはぐくんでくれた町よ、学校よ、さやうなら」との冒頭からは名残惜しさを感ぜぬにはおかない。しかしながら、「こんなにも幸福な家族の一員である前に、日本人であることを忘れてはならないと思うんだ」との言葉もまた彼の本音ではなくて何であろうか。彼は家族を愛する一人の人間であり、また日本に生きる一人の日本人でもあった。彼はただ熱狂していたわけではない。冷静に自らをみつめている。そしてその別れとつらさと出陣の義務の葛藤の中で苦悩していたのが日本人塚本太郎であった。

この塚本もまた「回天」に搭乗を志願し、散華する。

志願の際、塚本は長男であることを理由に、一度は断られた。しかし、自身には弟がいるから安心であることを訴え、学生隊長に血書嘆願して、ようやく志願が認められた。

三枝にせよ塚本にせよ、何故にここまでして必死の作戦へと志願したのであろうか。無論、彼らが生への執着を一切持たなかったからではない。人間は誰も望んで死ぬわけはないであろう。

元「回天」搭乗員で全国回天会会長の小灘利春は、「特攻に、なぜ日本の若人たちは参加したか」との一文の中で次のように述べている。

> 「死にたくて死んだ特攻隊員はいない」のである。「十死零生（じゅっしれいしょう）」というように、特攻隊員にとって死は、使命を遂行した直後に続く不可避な事態であった。自らの死に直面したとき、理性は納得しても、若く健康な青年の肉体は、本能的な烈（はげ）しい死への拒絶感、嫌悪感を覚えて当然である。それを意識するか、別の抑圧として感じるか、強烈な

使命感が圧殺するか、人により様々であろうが、回天の搭乗員たちの場合、困難な専門的技術を体得するまでの長い期間、死に直面しながらも爽やかな日々を過ごし、潜水艦に搭載した回天に乗り込むときも、平常心を保っていた。生死のこのような感情さえも超越し、自分の死を平然と受け入れた。

それは諦観ではない。「われわれが最も大切に思うものに尽くすことの満足感」からであった。

特攻隊員としての日々をおくった小灘であればこその一文といえよう。小灘自身もまた戦争中に一文を書き留めている。

美しき日本の山河よ、うるはしき日本の民族よ、迫り来る破滅から護らんが為にはこの身を弾丸に代えても惜しくはない。

彼らの思いを凝縮するような一文である。命をかけて守るべきものを発見したがゆえに彼らは特攻を志願したのである。誰しもが死への恐怖を持って生きている。それは特攻隊員とて同様である。しかし、彼らは自らの定められた死を粛々と受け入れていった。何故なら彼らには一命を擲っても守らねばならぬものを持っていたからに他ならない。自らの死が何らかの形で祖国に貢献することを信じ、彼らは散華していったのではなかろうか。

その小灘に筆者はインタビューに訪れた際、数枚の「回天」にまつわる写真を取り出した。私は何ともいえぬ衝撃を受けた。それらの写真を眺めているうちに、今までの全ての疑問が氷解したような気持ちになった。

その笑顔が非常に美しいのである。出撃を間近にした日の写真だとはとても思えないのである。麻薬を打たれていた者や、熱狂的な狂信者たちが、かくも美しい笑顔を残せるはずがない。

その笑顔には死への恐怖や諦感はない。守るべきものを持つ誇らしさと、一命を懸けてもそれを守り抜く優しさが見事に表徴されている写真である。

写真を見ながら小灘が話した言葉は忘れられない。

「この国が将来特攻隊を要するような事態になることがあってほしくない。だが、気持ちの上では誰もが危ういときには何としてでも守り抜こうとする、善い社会であってほしい」

五　特攻隊と日本人の歴史哲学

特攻の産みの親とされ、自身も終戦と同時に切腹して特攻隊に続いた大西瀧治郎中将は、特攻隊を出撃させた際に後藤記者から敗戦を挽回できるのか質問を受けた。それに対し中将は「戦の大局はだな……」と言葉を濁した。その直後の会話である。

「じゃ、なぜ、特攻を続けるんですか？」

後藤が聞くと、大西は落ち着いた口調になっていた。

「会津藩が敗れたとき、白虎隊が出たではないか。ひとつの藩の最後でもそうだ。いまや日本が滅びるかどうかの瀬戸際にきている。この戦争は勝てぬかもしれぬ」

「それなら、なおさら特攻を出すのは疑問でしょう」

「まあ、待て。ここで青年が起たなければ、日本は滅びますよ。しかし、青年たちが国難に殉じていかに戦ったかという歴史を記憶する限り、日本と日本人は滅びないのですよ」

（草柳大蔵『特攻の思想』）

ここでの大西は後世の国民のために特攻を出撃することを明らかにしている。

国家は物理的攻撃によってのみ滅びるものではない。精神的頽廃によっても国家は滅びる。物理的な敗北はやがて復興することも可能であろう。しかしながら、精神的亡国の状況からの復興ほど困難を極めるものはない。日本は恐らく物理的に敗北を喫するであろう。しかし、精神的な亡国の憂き目にだけはあわせたくない。「青年たちが国難に殉じていかに戦ったかという歴史を記憶する限り」、物理的敗北の後にも「日本と日本人は滅びない」という信念がほとばしってくるような会話である。また、特攻隊においては「あとに続くを信ず」との言葉が好んで使われたという。この言葉は、単に死を決して敵と戦う者が続くことを信じて使われた言葉と捉えるのは浅薄に過ぎるであろう。後世の国民がこの国家の来歴に繋がり、物質的にも精神的にも繁栄を極めることを望んで遺された深遠な言葉であろう。東京帝国大学から学徒出陣され、特攻隊として戦死された安達卓也は、その遺書の中で「あとに続くを信ず」の意味を遺している。

「あとに続くを信ず」とは、単に死を決して戦う者の続くことを信ずるのではなくして、特攻隊の犠牲において、祖国のよりよき前進を希求するものにほかならない。たとえ明哲な手腕の所有者ならずとも、いかなる悲境にも泰然として揺がず、しかも身を鴻毛の軽きに比して、潔癖な道義の上にのみ生き得る大人物の出現こそ、真に国を救うものだ。

（海軍飛行予備学生第十四期会編『あゝ同期の桜』）

もう一例を挙げさせていただく。

戦艦大和は昭和二十年四月一日に米軍が沖縄上陸したことから水上特攻部隊として出撃し、生還を望まない攻撃に出発した。船内では兵学校出身の中尉、少尉と学徒出身士官が「何のために死ぬのか」を巡って口角泡を飛ばしての大論争が始まった。

兵学校出身の中尉、少尉、口を揃えて言う「国のため、君のために死ぬ　それでいいじゃないか　それ以上に何が必要なのだもって瞑すべきじゃないか」

学徒出身士官、色をなして反問す「君国のために散る　それは分る　だが一体それは、どういうこととつながっているのだ　俺の死、俺の生命、また日本全体の敗北、それを更に一般的な、普遍的な、何か価値というようなものに結び附けたいのだ　これら一切のことは、一体何のためにあるのだ」

「それは理窟だ　無用な、むしろ有害な屁理窟だ　貴様は特攻隊の菊水の「マーク」を胸に附けて、天皇陛下万歳と死ねて、それで嬉しくはないのか」

「それだけじゃ嫌だ　もっと、何かが必要なのだ」

遂には鉄拳の雨、乱闘の修羅場となる「よし、そういう腐った性根を叩き直してやる」

（吉田満『鎮魂戦艦大和』）

（原文カナ）

兵学校出身の士官は国のため、天皇陛下のためという。しかし、学徒出身士官はそれには理解を示しつつも、さらに大きな意義を自らの死に見出したいという。

ここで、臼淵大尉が低く呟くように述べる。

「進歩のない者は決して勝たない 負けて目ざめることが最上の道だ
日本は進歩ということを軽んじ過ぎた 私的な潔癖や徳義にこだわって、本当の進歩を忘れていた　敗れて目覚める、それ以外にどうして日本が救われるか 今目覚めずしていつ救われるか　俺たちはその先導になるのだ　日本の新生にさきがけて散る まさに本望じゃないか」(原文カナ)

(吉田満 前掲書)

臼淵大尉は、日本は進歩を忘れ、私的な観念にこだわりすぎた結果、戦に敗れることになったという。日本は敗れて目覚めるしかないという。そして自身が日本の覚醒のためのさきがけとなって散っていくというのである。

ここにある進歩の観念を進歩史観だといって切り捨てる向きもあろう。自らが死ぬことと、日本の覚醒との関連を論理の飛躍とみる向きもあろう。

だが、彼らが嘲笑う臼淵の熱情こそが歴史を動かす原動力となることを忘れてはならない。なるほど、確かに安達、臼淵の両人の言葉には差異がある。「回天」で散華した人々の言葉もまた違った趣がある。

しかしながら、彼らの中に通底する部分こそが大切なのではなかろうか。彼らは後世の国民の姿を意識することによって特攻を決意する。友、家族、そして日本の山河の美しさ、天皇陛下、それらは全て守らねばならない。脈々と連なる歴史の中で守られてきたこの祖国を守らねばならぬ。そして自らもその歴史に連なっていかねばならぬ。それこそが彼らの想いであり、危機になると表面に出る日本人の歴史哲学なのではなかろうか。

フランス人で『神風』の著者ヴェルナール・ミローは述べている。

日本人は対抗手段を過去からひき出してきた。すなわち伝統的な国家への殉死、肉弾攻撃法である。

このことをしも、我々西欧人はわらったり、あわれんだりしていいものであろうか。むしろそれは偉大な純粋性の発露ではなかろうか。日本国民はそれをあえて実行したことによって、人生の真の意義、その重大な意義を人間の偉大さに帰納することのできた、世界で最後の国民となったと著者は考える。

たしかに我々西欧人は戦術的自殺行動などという観念を認容することができない。しかしまた、日本のこれら特攻志願者の人間に、無感動のままでいることも到底できないのである。彼らを活気づけていた論理がどうあれ、彼らの勇気、決意、自己犠牲には、感嘆を禁じ得ないし、また禁ずべきではない。彼らは人間というものがそのようであり得ることの可能なことを、はっきりと我々に示してくれているのである。

（ヴェルナール・ミロー『神風』）

「偉大な純粋性の発露」

彼ら西欧人をしてまで、ここまでに言わしめた特攻隊。まさに彼らの自己犠牲の精神に対し、我々は感嘆せざるをえない。彼らの垂直的共同体としての国家への意志は気高く美しい。

昨今見られるような垂直的共同体としての国家に殉じた両者の死を犬死とし、彼らの言葉を嘲笑するかのごとき言動は厳に慎まねばならない。後世を信じ散っていった先人に報いるにはその精神を継承し、自らもその国家を守るとの気概を持たなければならない。後世の国民が、日本人の歴史哲学を忘却し、国家の過去・現在・未来を貫く一線を断ち切ったときに、先人の死はまさに犬死として貶められ、自らの生も刹那的で空疎な生と堕する。現在、身を以って祖国を救わんとした殉国の英霊たちの死が犬死であるならば、その責めを負わねばならないのは先人ではなく現代に生きる我らである。自己の内部、奥底に垂直的共同体としての国家を感じるということ。これこそがかつての先人たちが抱いてきた日本人の歴史哲学なのではなかろうか。日本人が国難に際し、敢然と立ち上がれたのは、多くの国民がこの歴史哲学を共有していたからではなかろうか。多くの若者をして敢然と特攻へと出で立たせたもの、それは熱狂や宗教的情熱、あるいは偏向した軍国教育の賜物などではなく、日本人の歴史哲学であったといえるであろう。

終章　民族の記憶——日本人の歴史哲学

西郷隆盛、特攻隊の姿を詳細に検討する中で見えてくるものがある。あるいは時空を超えて彼らを一つにつなぐものが見えてくる。これこそが「日本人の歴史哲学」であり、我々日本人がＧＨＱの巧みな戦略によって分断させられてしまった「精神」ではなかろうか。

幕末の日本に迫りくる西洋列強の脅威は、何も物理的なものばかりであったわけではない。日本人が脈々と営んできた生活、そしてそこに育まれる文化、文明をも破壊するものでもあった。そのよう時代の流れの中、敢然と「近代」に挑み、その劇的な生涯を日本民族の記憶に鮮明にとどめたのが西郷隆盛であった。彼の決起に打算や自暴自棄や野心を見る歴史観は余りに浅薄である。立ち上がり、烈しく戦い抜き、その最後の一刻までをも歴史に刻むということ。これ以外に西郷の思想はない。立ち上がった歴史を持つ民族と、持たざる民族では、その将来が大きく異なる。後世のための基礎となる、ここにこそ西郷の思想、歴史哲学を見出すべきであろう。

ローズベルトを中心としたアメリカの願望。チャーチルのイギリス起死回生のための作戦。そしてスターリンをはじめとする共産主義の謀略。黄禍論に見るような白色人種からの人種差別。これらの諸要素が複雑に錯綜しあう中で生じたのが大東亜戦争であった。

他の植民地となり果てたアジア諸国のごとく、戦わぬという選択肢があったかのかもしれない。国民の生命は確かにそこで守られたのかもしれない。だが、我々日本人は敢えて立ち上がった。独立自尊の気概を捨て、奴隷の平和を欲することはしなかった。気高き武士の末裔にはかかる恥辱は甘受できなかった。否、連綿と続く日本の歴史そのものが、西郷が鮮明に遺した日本人の歴史哲学が、奴隷の平和を許さなかったのかもしれぬ。

世界において唯一、迫りくる西洋列強に敢然と立ち上がった日本人には、立ち上がれる民族の誇りがあった。

この日本において特攻隊が出現したのは、必然であったのかもしれぬ。かれらの自己犠牲は、狂気でも強要でもなかった。それは、日本を守るとの決意に他ならず、日本を守り抜いた先人の後へ続くことでもあったはずである。西郷隆盛に象徴される日本のために立ち上がった先人の記憶、民族の記憶こそが彼らを特攻へと立たせしめた理由であろう。

無論、大東亜戦争時においても恥ずべき輩がいた。例えば四航軍司令官、富永恭次中将のごとき輩の所業は特攻隊に対する背信行為とでもいうべきものである。

「大丈夫ひとたび死を決すれば、ために国を動かす。諸子ひとりの死は皇国を動かし、世界を動かすものである。諸子の尊い生命と引きかえに、勝利の道を開けることを信じている。それでもなお敵が出てくるならば、第四航空軍の全力をもって、諸子の後につづく。この富永も最後の一機で行く決心である」と刀を振りあげ、口舌にまかせて激励し、いったん戦況不利となるや将兵をすて、フィリピン、エチャーゲ飛行場から護衛機四機に守られ台湾に逃走し、北投温泉に逃げた。

（神坂次郎 前掲書）

特攻隊の思いを踏みにじる暴挙である。我々日本人が許してはならない所業といえよう。

だが、この種の形でなされた特攻隊に対する裏切りを我々現代に生きる日本人は批判する資格を持つのであろうか。

特攻隊を狂信者の行為と同一視する行為。特攻隊を哀れな犠牲者として、狂気の軍国主義の産物と貶める行為。これらの行為もまた特攻隊に対する裏切りでなくして、なんであろうか。

大東亜戦争の末期、人間魚雷「回天」と同様に考案された兵器に人間爆弾「桜花」がある。

「桜花」とは、胴体頭部が一・二トンの戦艦主砲用の徹甲弾、中央部がパイロットの座席、後部に推進用火薬ロケットがあり、全重量は約二トンある飛行機型の人間爆弾である。通常の飛行機とは異なりエンジンもなければ胴体の下に足や車輪もなかった。母機の一式陸上攻撃機が「桜花」を吊り下げて運び、敵艦に接近して投下すると、パイロットが操縦し、ロケットを噴射しながらパイロットもろとも敵艦に突入して、これを撃沈する。「桜花」の出撃とは海中での人間魚雷「回天」の出撃と同様に、生還を期すことのない出撃である。

回天は大きな戦果を挙げることに成功した。終戦直後マニラに飛んだ軍使に対し、マッカーサー司令部のサザランド参謀長が最初に発した言葉は、「『回天を積んだ母潜が、太平洋上にあと何隻残っているか』というもので、『十隻ほどいる』と聞いて、『それはたいへんだ。一刻も早く戦闘行動を停止してもらわねば」と、顔色を変えたという」（上原光晴『「回天」その青春群像』）。

「回天」がここまで米軍に恐れられた一方で「桜花」はほとんど成果を挙げることはで

きなかった。確かに命中すれば、一発必沈の大爆弾ではあったものの、これを敵艦の真上まで運ぶことは困難であった。二トンの「桜花」を積んだ母機、一式陸上攻撃機は、敵艦に近づく以前に敵機により撃墜されてしまったのである。

この人間爆弾「桜花」を米軍は「ＢＡＫＡ」(馬鹿)と名付け、嘲笑した。この「桜花」を米軍と同様に馬鹿として単純に否定するかのごとき日本人がいるとすれば、それは死者に対する最大の冒涜であり裏切りでなくしてなんであろうか。そしてこの種の裏切りが平然と横行したのが戦後であったのではなかろうか。

「桜花」に搭乗し散華していった先人達の想いにわずかでも思いをはせることから、日本人として歴史を学ぶことがはじまるのではないか。

次に挙げるのは、山岡荘八が従軍記者として、「桜花」特攻の出撃基地、野里村に訪れたときの話である。

この野里村の基地にも、むろん地上勤務の人はたくさんいた。しかし十日経たないうちに、私は、それらの人々と特攻隊員の区別がハダでわかるようになった。一方は軍規の中に生きている人々であり、一方は死生の外に踏みだしてしまった人々なのだ。

そこにある闊達さと自由さは時に傍若無人にさえ見えて、その実、接近するほど離れがたい別の美しさを秘めていた。

私にとって何よりも悲しいことは、彼等に出会って親しくなると、それがそのまま別離なのだというきびしさだったが、それにしても、この底抜けの明るさは、どうして彼等の肉体を占領し得たのであろうか……その秘密だけは、とにかく私なりに解いておきたかった。私は、やがてその質問を無遠慮に投げかけ得る相手を見つけた。筑波隊の西田高光中尉だった。彼は大分県大野郡合川村の出身で、入隊以前、しばらく小学校で教鞭をとっていたという。彼の出撃していったのは五月十一日。その二日前に死装束の一部である新しい飛行ぐつが配給された。と、すぐさま彼は、しばらくあとに残ることになった部下の片桐一飛曹を呼んだ。

「そら、貴様にこれをやる。貴様とおれの足は同じ大きさだ」

すると、いかにも町のアンチャンといった感じの片桐一飛曹は、顔いろ変えてこれを拒んだ。

「頂けません。隊長のくつは底がバクバクであります。隊長は出撃される……いりません」。

西田中尉は傍に私がいたのでニヤニヤした。

「遠慮するな。貴様が新しいマフラーと新しいくつで闊歩してみたいのをよく知っているぞ」

そういってから「命令だ。受取れ。おれはな、くつで戦うのでは無いッ」

そうした中尉の態度はもう何を訊ねても、そのために動揺するような気配は全くなかった。

そこで私は古畳の上に胡座して、教え子に最後の返事を書いている彼に、禁句になっている質問を矢つぎ早に浴びせていった。この戦を果して勝抜けると思っているのかどうか？　もし負けても、悔いはないのか？　今日の心境になるまでにどのような心理の波があったのかなどを……。

彼は、重い口調で、現在ここに来る人々はみな自分から進んで志願したものであること。したがってもはや動揺期は克服していること。そして最後にこうつけ加えた。

「学鷲は一応インテリです。そう簡単に勝てるなどとは思っていません。しかし負けたとしても、そのあとはどうなるのです……おわかりでしょう。われわれの生命は講和の条件にも、その後の日本人の運命にも繫がっていますよ。そう、民族の誇りに……」

私は、彼にぶしつけな質問をしたことを悔いなかった。と、同時に、彼がバクバクとつまさきの破れた飛行ぐつをはいて、五〇〇キロ爆弾と共に大空へ飛び立っていったとき、見送りの列を離れて声をあげて泣いてしまった。

（文藝春秋編『人間爆弾と呼ばれて』）

西田中尉は、「桜花」特攻を為したわけではない。だが、「桜花」の出撃する基地から、自らも出撃し、零式戦闘機に五〇〇キロ爆弾を搭載し、特攻していった方である。

西田中尉の想いと「桜花」特攻出撃という事実の前で、これを冷たく嘲笑するのではなく、その時代に生きた人々の想いを思うべきなのではなかろうか。

彼らが守らんとした民族の誇り、垂直的共同体としての国家。これらに思いをはせ、自らもまたその歴史に連なるという覚悟と気概を持つことこそが肝要ではあるまいか。

特攻隊として散華した鷲見敏郎の和歌がある。

選ばれて弥生の桜散るもよし三千年を承けし身なれば

彼らの出撃の決意が端的に表された和歌である。

今生きる我々は単なる個として生きているのではない。日本を守り抜く決意のもと後世の国民を信じ散華していった西郷、そして幾多の名も知られぬ人々の自己犠牲の上で生かされているとの想いがあったのではないか。そして、その歴史を民族の記憶を体内に感じていたがゆえに、生還を期すことのない出撃を決意したのではなかったか。

彼らが「天皇陛下万歳」を唱えたことを軍国主義の象徴、あるいは「現人神」の支配する「神国」特有のイデオロギーと解する向きも少なくない。だが、それはあまりに浅薄な理解といわざるをえない。彼らが「天皇陛下万歳」と唱えたのは、天皇陛下御存在の意義を誰より正しく理解していたからではなかったろうか。

繰り返すが、国家とは単に現代に生きる人間のみの占有物ではない。それは過去・現在・未来にわたってこの地に住む国民の共有物である。すなわち国家とは単なる同時代の水平的共同体であるのみならず、時間を超えた垂直的共同体でもある。この垂直的共同体の象徴としてあらわれるのが、神武創業以来万世一系の天皇陛下の御存在に他ならない。従って「天皇陛下万歳」とは、この日本、垂直的共同体としての歴史を背負った人々が、端的にその覚悟と誇りを表したものであろう。

開戦直前、昭和十六年九月十六日の御前会議において海軍軍令部総長永野修身は次のように述べた。


戦わざれば、亡国必至、戦うもまた亡国を免れぬとすれば、戦わずして亡国にゆだねるは身も心も民族永遠の亡国であるが、戦って護国の精神に徹するならば、たとい戦い勝たずとも祖国護持の精神が残り、われらの子孫はかならず再起三起するであろう。


彼の発言は、垂直的共同体としての国家を強く認識したものである。大東亜戦争を戦い抜き、立ち上がれる民族の誇りと記憶を後世に遺すことを述べている。まさに過去の日本の歴史を現在生きる人々が未来へとつなげていくことを目的としている。

垂直的共同体に生きる個人が、その歴史を背負うということ。ここに真の歴史哲学の意義があるのではないか。

井尻千男の一文がある。

歴史に学ぶということは、綺羅星の如くに輝く天才たちとの対話にほかならないが、同時にその優れた人物をはぐくんだ時代の基底をさぐりあてることでもある。歴史に貯蔵された可能性と失敗、その宿命とも運命ともいうべきものを感受するところに、維新の夢が胚胎（はいたい）する。若者の志というものが歴史とつながるのはそのときからであり、若者の未来が豊饒になるのは、その歴史の重みを背負う覚悟を固めたときからである。

ここで井尻は重い歴史を担うことを、負担と捉えるのではなく、むしろ自らの生を豊饒な生へと昇華させうるものとして捉えている。確かに歴史とは無縁となった戦後日本人は物質的豊かさを手に入れることができた。だが、それは一方で際限のない個人主義を招き、虚無主義が蔓延するに至っている。

垂直的共同体としての国家の歴史を引き受ける覚悟こそが空疎な生を豊饒なものへと昇華せしめるとの井尻の指摘の鋭さは、自らの生を特攻隊の生の燃焼の美しさと豊かさと比してみれば明らかではなかろうか。彼らを犬死にとあざけ笑うものは、自らの空疎な生を認めることを怯えているだけではあるまいか。ロシアの歴史哲学者ベルジャーエフは「人間は《歴史的なもの》の中にある。そして《歴史的なもの》は人間的なものの中にある」（『歴史の意味』）と述べた。人間とは「歴史的なもの」であることを忘れた期間、それが戦後ではなかったか。民族の歴史を引き受ける覚悟を忘れた期間、それが戦後ではなかったか。

垂直的共同体としての国家の歴史をみつめ、それを背負い、自らもまたそこに連なっていくという覚悟と気概を持つということ。これこそが激動の新世紀にあって再興が求められてやまない、歴史の中で水脈のように地下に流れ、危機の際に表面に出てきた日本人の歴史哲学ではなかろうか。

［新版］あとがき

現在の日本に欠けているものは何だろうか。私は歴史哲学だと申し上げたい。人間はいかに生きるべきなのか。真剣に考えてみたときに、重要になってくるのが歴史哲学だ。国民としての歴史をいかに引き受けるか。そうした覚悟、理念、歴史哲学が存在していない。歴史哲学は学べば学ぶほど、深淵なものであり、難解なものでもある。ただし、重要になってくるのは常識だ。日本に生まれ、日本に育ち、やがて日本の土となる我々に、最も重要な存在が日本である。すなわち祖国なのである。私は排外主義者ではない。祖国を想う気持ちは各国共通だろう。それでもなお、日本人の歴史哲学と謳（うた）った理由は何か。特攻隊の存在である。身を挺して祖国に尽くすことは難しい。誰が何と言おうとも、言葉以上に行為に意味がある。私は特攻隊に続きたいと思いながら、本を書き、教育し続けてきた。

現在の日本を彼らはどのように受け取るだろうか。

私は恥ずかしい。何もできていない自身の不甲斐なさを痛感すると同時に、先祖に対して顔向けできない日本の現況を哀しく思う。

なぜ彼らが命を懸けて戦ったのか。もちろん祖国を守るためだ。しかしながら、祖国の存在そのものが腐れ果ててしまったら、彼らの死とはいかなる意味を持つのか。託されているのはやはり我々である。祖国のために散華した特攻隊を犬死と呼ぶのか、尊敬の対象とするのか。我々自身が問いかけられているのである。

死は等しいと言う人々がいる。虚偽である。確かに、人間を動物として捉えれば死は等しい。生きながらえることだけが重要になるだろう。しかし、人間には価値判断、すなわち哲学がある。自身の生命を何のために燃焼させるのか。自分は動物以上の存在でありたい。そう思うのは人間の条件なのだ。人間をして動物たらしめるべきではない。人間としての尊厳を守り抜くべきなのだ。

人生を捧げて何事かを成そうとする人々を私は愛する。仮に失敗に終わろうとも、彼らの人生は虚しくなかった。生命をかけて、戦い抜く生き様こそが人間の生き方だと信じるからである。

困難な時代に生まれ、生命を投げ出した青年たちが存在した。彼らの後に続くことこそが、人間らしさであると私は信じる。

本書は学生時代に執筆したものである。表現の拙さ、解釈の未熟さ、様々な欠点がある。ただし、一切そうした点を変更しなかった。二十年前の私が考えていたことだからである。表現は未熟ながら、読み返してみるとなかなか面白い。学生時代、何に打ち込むのか。様々な人生の選択があるだろう。私は哲学に没頭した。若かったと感じる瞬間もあるが後悔はない。もう一度繰り返せるならばこの人生をと願っている。若くして特攻隊として出撃し散華された方々の中に、学者になりたいと思っていた人たちがいるであろう。彼らの想いに応えなくてはならない。後に続くことを選択できるのは我々自身なのだから。

国民国家と歴史とは極めて深い意味合いを持つ。だが、歴史には人間が存在しなければいけない。人間なき歴史は愚昧である。我々には祖国のために尽くした特攻隊がいるではないか。何よりの誇りである。一身を捧げて祖国を守ろうと決意した人々。彼らの後に続くのか続かないのか、それは我々自身の決断による。

本書が復刻できたのは産経新聞出版企画部長の花房壮氏のおかげである。五月の長期休暇中に私の処女作である本書を読んで頂いた。そこから、本書の復刻が決まった。本書が売れなかったら自分で買い取り、家族友人に配布するとそこまで言って頂いた。率直に申し上げて感激した。本書が復刻できたのは全て花房氏のおかげである。心より感謝申し上げたい。

また本書の執筆に関しては株式会社カディィマ代表取締役社長の三浦太地氏に大いなる貢献を賜った。そして、いつもながらに、最も本書を熟読し編集作業に従事してくれた妻、ゆり子に感謝を申し上げたい。本当に有難う。

令和六年七月　岩田温

【参考文献一覧】

○序章
三島由紀夫『蘭陵王』新潮社／ミラン・クンデラ『笑いと忘却の書』集英社
○第一章
E・H・カー『歴史とは何か』岩波新書／G・W・F・ヘーゲル『歴史哲学講義』（上・下）岩波文庫／ドストエフスキー『白痴』新潮文庫／ニコライ・ベルジャーエフ『歴史の意味』白水社／R・レスラー『ベルジャーエフ哲学の基本理念』行路社／坂本多加雄『象徴天皇制度と日本の来歴』都市出版／同『日本は自らの来歴を語りうるか』筑摩書房
○第二章
フランシス・フクヤマ『歴史の終わり』（上・下）三笠書房／レジス・ドブレ、ジャン・ジーグラー『屈服しないこと』リキエスタの会／マイケル・イグナティエフ『民族はなぜ殺し合うのか』河出書房新社／同『ニーズ オブ ストレンジャーズ』風行社／黄文雄『日本植民地の真実』扶桑社／柴宜弘『ユーゴスラヴィア現代史』岩波新書／徳永彰作『モザイク国家ユーゴスラヴィアの悲劇』ちくまライブラリー／フィリップ・ゴーレイヴィッチ『ジェノサイドの丘』（上・下）WAVE出版／ベルナール・アンリ・レヴィ『危険な純粋さ』紀伊国屋書店／山本賢蔵『右傾化に魅せられた人々』河出書房新社／レオ・シュトラウス『ホッブズの政治学』みすず書房／ベネディクト・アンダーソン『想像の共同体』NTT出版／ギルバート・キース・チェスタトン『正統とは何か』春秋社／エドマンド・バーク『フランス革命の省察』みすず書房／高橋哲哉『靖国問題』ちくま新書
○第三章
スティーヴン・E・トゥールミン『近代とは何か』法政大学出版局／Leo Strauss, WHAT IS POLITICAL PHILOSOPHY?, The University of Chicago Press／レオ・シュトラウス『自然権と歴史』昭和堂／五味文彦、高

埜利彦、鳥海靖編『詳説 日本史研究』山川出版社／山崎正董編『横井小楠遺稿』日新書院／同『横井小楠伝』日新書院／西尾幹二『歴史と常識』扶桑社／長谷川三千子『からごころ』中央公論新社／同『正義の喪失』PHP研究所／福沢諭吉著、松沢弘陽校注『文明論之概略』岩波文庫／プラトン『国家』(上・下)岩波文庫／マキアヴェリ『君主論』岩波文庫／モンテスキュー『法の精神』(上・中・下)岩波文庫／山田済斎編『西郷南洲遺訓』岩波文庫／江藤淳『南洲残影』文藝春秋／同『南洲随想』文藝春秋／葦津珍彦『永遠の維新者』葦書房／上田滋『西郷隆盛の思想』PHP研究所／桶谷秀昭『草花の匂ふ国家』文藝春秋／アイヴァン・モリス『高貴なる敗北』中央公論社／モーリス・パンゲ『自死の日本史』筑摩書房／松本健一『開国・維新』日本の近代1　中央公論新社／坂本多加雄『明治国家の建設』日本の近代2　中央公論新社／松本健一『第三の開国と日米関係』第三文明社／西郷隆盛全集編集委員会『西郷隆盛全集』大和書房

○第四章

立花隆「自爆テロの研究」『文藝春秋』二〇〇一年十一月号／神坂次郎『今日われ生きてあり』新潮文庫／同『特攻隊員の命の声が聞こえる』PHP文庫／須崎勝彌『カミカゼの真実』光人社／日本戦没学生記念会編『きけわだつみのこえ』岩波文庫／保阪正康『「きけわだつみのこえ」の戦後史』文藝春秋／知覧高女なでしこ会編『群青』高城書房出版／深堀道義『特攻の真実』原書房／内藤初穂『桜花』中公文庫／辺見じゅん『レクイエム・太平洋戦争』PHP研究所／生出寿『一筆啓上瀬島中佐殿　無反省の特攻美化慰霊祭』徳間文庫／横田寛『あゝ回天特攻隊』光人社／上原光晴『「回天」その青春群像』翔雲社／平義克己『我敵艦ニ突入ス』扶桑社／白鴎遺族会編『雲流るる果てに』河出文庫

海軍飛行予備学生第十四期会編『あゝ同期の桜』『続・あゝ同期の桜』光人社／三田村武夫『大東亜戦争とスターリンの謀略』自由社／ウワディスワフ・シュピルマン『戦場のピアニスト』春秋社／ベルナール・ミロー『神風』早川書房／森本忠夫『特攻』文藝春秋／草柳大蔵『特攻の思想』文藝春秋／吉田満『鎮魂戦艦大和』講談社

○終章

文藝春秋編『人間爆弾と呼ばれて』文藝春秋

本書は、平成十七年十一月、展転社から刊行された『日本人の歴史哲学―なぜ彼らは立ち上がったのか―』を一部修正したものです。肩書などは当時のものです。

岩田温（いわた・あつし）

1983年、静岡県生まれ。早稲田大学政治経済学部卒、同大学院修士課程修了。大和大学准教授などを経て、現在、一般社団法人日本学術機構代表理事。専攻は政治哲学。著書は『いい加減にしろ！』（ワック）、『後に続くを信ず』（かや書房）など多数。ユーチューブで「岩田温チャンネル」を配信中。産経新聞や夕刊フジに定期的にコラムを寄稿している。

日本人の歴史哲学
—なぜ彼らは立ち上がったのか—

令和6年8月5日　第1刷発行

著　　者　岩田温
発 行 者　赤堀正卓
発 行 所　株式会社産経新聞出版
〒100-8077 東京都千代田区大手町1-7-2
産経新聞社8階
電話　03-3242-9930　FAX　03-3243-0573
発　　売　日本工業新聞社　電話　03-3243-0571（書籍営業）
印刷・製本　株式会社シナノ

ISBN 978-4-8191-1439-4　C0095